REPÈRES
PRATIQUES
NATHAN

Clés
des relations
internationales

Roland Séroussi

NATHAN

SIGLES

ABM
Anti Ballistic Missile (missile antibalistique).

ACP
États africains, des Caraïbes et du Pacifique associés à la Communauté économique européenne.

AELE
Accord européen de libre-échange.

AID
Association internationale de développement.

ALCM
Air Launched Cruise Missile (missile de croisière air-sol).

ALENA
Accord de libre-échange nord-américain.

ALS
Armée du Liban du Sud.

AMF
Accords multifibres.

ANC
African National Congress (Afrique du Sud).

ANSEA
Association des nations du Sud-Est asiatique, appelée aussi ANASE (voir ASEAN).

APD
Aide publique au développement.

ASEAN
Association of South East Asian Nations (voir ANSEA).

BAD
Banque africaine de développement.

BASD
Banque asiatique de développement.

BIRD
Banque internationale pour la reconstruction et le développement.

CAEM
Conseil d'assistance économique mutuelle (appelée aussi Comecon).

CARICOM
Marché commun des Caraïbes.

CCG
Conseil de coopération des États arabes du Golfe.

CDEAO
Communautés des États d'Afrique de l'Ouest.

CEAO
Communauté économique d'Afrique de l'Ouest.

CECA
Communauté européenne du charbon et de l'acier.

CEE
Communauté économique européenne.

CEEA
Communauté européenne à l'énergie atomique (appelé aussi Euratom).

CED
Communauté européenne de défense.

CIA
Central Intelligence Agency (Agence centrale de renseignements des États-Unis).

CICR
Comité international de la Croix-Rouge.

CIJ
Cour internationale de justice.

CNUCED
Conférence des Nations unies pour le commerce et le développement.

COMECON
(Voir CAEM).

CPJI
Cour permanente de justice internationale.

CSCE
Conférence sur la sécurité et la coopération en Europe.

DTS
Droits de tirages spéciaux.

ECU
European currency unit.

FAD
Force arabe de dissuasion.

FAO
Food and Agriculture Organization (Organisation pour l'alimentation et l'agriculture).

FAS
Facilité d'ajustement structurel (dans le cadre du FMI).

FED
Fonds européen de développement.

FINUL
Force d'intervention des Nations unies au Liban.

FMI
Fonds monétaire international.

FNUOD
Force des Nations unies pour l'observation et le dégagement.

FUNU
Force d'urgence des Nations unies.

GATT
General Agreement on Tariffs and Trade (Accord général sur les tarifs douaniers et le commerce).

GLCM
Ground Launched Cruise Missile (missile de croisière sol-sol).

HCR
Haut-Commissariat aux réfugiés.

IATA
International Air Transport Association.

ICBM
Intermediate Balistic Missile (missile balistique de portée intermédiaire).

IDS
Initiative de défense stratégique.

IRA
Irish Republican Army (Armée républicaine irlandaise).

IRBM
Intercontinental Range Ballistic Missile (missile balistique intercontinental).

LRCM
Long Range Cruise Missile (missile de croisière à longue portée).

MCCA
Marché commun centre-américain.

MERCOSUR
Marché commun du Sud de l'Amérique latine.

MPLA
Mouvement populaire de libération de l'Angola.

NOEI
Nouvel ordre économique international.

NPI
Nouveaux pays industrialisés.

OACI
Organisation de l'aviation civile internationale.

OCAM
Organisation commune africaine et malgache.

OCDE
Organisation de coopération et de développement économique.

OCI
Organisation de la conférence islamique.

OEA
Organisation des États américains.

OI
Organisation internationale.

OIT
Organisation internationale du travail.

OLP
Organisation de libération de la Palestine.

OMS
Organisation mondiale de la santé.

ONG
Organisation non gouvernementale.

ONU
Organisation des Nations unies.

ONUDI
Organisation des Nations unies pour le développement industriel.

ONUST
Opération des Nations unies pour la surveillance de la trêve.

OPAEP
Organisation des pays arabes exportateurs de pétrole.

OPEP
Organisation des pays exportateurs de pétrole.

OTAN
Organisation du traité de l'Atlantique Nord.

OUA
Organisation de l'Unité africaine.

PED
Pays en développement.

PIB
Produit intérieur brut.

PMA
Pays les moins avancés.

PNA
Pays non alignés.

PNB
Produit national brut.

PNUD
Programme des Nations unies pour le développement.

PVD
Pays en voie de développement.

RDA
République démocratique allemande.

RFA
République fédérale d'Allemagne.

SALT
Strategic Arms Limitation Talks (négociations sur la limitation des armes stratégiques).

SAM
Surface to Air Missile (missile sol-air).

SDN
Société des Nations.

SFI
Société financière internationale.

SGP
Système généralisé de préférences.

SLBM
Submarine Launched Ballistic Missile (missile de croisière lancé par sous-marin).

SLCM
Submarine Launched Cruise Missile (missile de croisière lancé par sous-marin).

SMI
Système monétaire international.

SRBM
Short Range Ballistic Missile (missile balistique de courte portée).

STABEX
Système de stabilisation des exportations.

TNP
Traité de non-prolifération.

UEM
Union économique et monétaire.

UEO
Union de l'Europe occidentale.

UNESCO
United Nations Educational, Scientifical and Cultural organization (Organisation des Nations unies pour l'éducation, la science et la culture).

URSS
Union des républiques socialistes soviétiques.

USA
United States of America (États-Unis d'Amérique).

© Éditions Nathan, Paris 1993, ISBN 2.09.176045.5

MODE D'EMPLOI

Divisé en six parties, l'ouvrage s'organise par doubles pages.
Chaque double page fait le point sur un thème.

La page de gauche

Une page synthèse apporte toutes les informations pour comprendre le sujet de la double page.

La page de droite

Une page explication fait le point, précise, illustre.

Un repérage par thème.

Le titre de la double page.

Quelques lignes d'introduction.

Des informations complémentaires, des encadrés, des illustrations.

Les sous-titres permettent de repérer les grands points du sujet.

SOURCES
INSTITUTIONS
PERSONNES
DOMAINE PUBLIC
ÉCONOMIE
CONFLITS

La société internationale

Les relations internationales naissent dès la fin du xvᵉ siècle avec l'apparition des grands États modernes. Devenue une science au lendemain du premier conflit mondial, l'étude des relations internationales se développe rapidement et fait l'objet d'analyses et de courants fondés sur des conceptions souvent opposées.

■■■■ Des relations complexes

Les États et les organisations internationales sont les acteurs de cet ensemble de rapports que l'on appelle « relations internationales ». Société organisée pour les uns, anarchique pour les autres, la communauté internationale est influencée par différents facteurs qui commandent le comportement de ces acteurs :
– le facteur géographique (le climat, les ressources naturelles, la superficie) conditionne la géopolitique qui constitue l'étude des rapports complexes entre les États, leur politique et les données naturelles ;
– l'élément démographique, appelé le « capital humain », comporte plusieurs facteurs : l'importance de la population, son taux de croissance, sa répartition, sa structure, la pluralité des langues comme en Inde, et des religions, en Afrique par exemple ;
– le critère économique est la cause de rivalités fréquentes : lutte pour la domination d'un marché (les rivalités américano-européennes) ou pour le contrôle de matières premières (le pétrole entre l'Irak et le Koweït) ;
– le facteur technologique a accéléré la diffusion de l'information, facilité les communications entre États, mais a également transformé l'environnement (atteinte à la faune et à la flore, disparition d'espèces animales, déforestation excessive, affaiblissement de la couche d'ozone) ;
– le facteur idéologique est marqué par l'opposition des modèles de développement libéral et marxiste, et l'influence des religions comme la montée des intégrismes en Iran ou en Algérie ;
– le facteur juridique, enfin, dont le droit international est la forme la plus complète, puisque illustré de normes juridiques plus ou moins contraignantes. La ratification de traités, la création d'organisations internationales, l'élaboration de doctrines ou les relations entre les sujets de droit en sont une parfaite illustration.

■■■■ Intensification des relations internationales

La société internationale est parvenue à élargir ses compétences et à faire du monde un « village planétaire », selon l'expression du sociologue canadien Marshall McLuhan. Ainsi, la scène mondiale se présente comme la somme de deux facteurs : la multiplication des rapports internationaux et l'amélioration de la coopération entre États et blocs d'États.
Ces caractéristiques sont fondées sur l'égalité juridique des sujets de droit et l'extension des questions fondamentales, telles que la sécurité dans le monde, la réduction des inégalités entre États, la réglementation des échanges ou l'assistance financière et technique accordée aux États.

■ Le courant américain

Hans J. Morgenthau

Pour cet auteur, la politique nationale et la politique internationale sont de même nature. Toutes les deux visent à établir des rapports de force et une lutte pour le pouvoir. Le monde repose ainsi sur des intérêts opposés et conflictuels ; la morale internationale, si elle existe, n'a qu'une influence résiduelle.

Stanley Hoffmann

Hoffmann conçoit la société internationale en termes de modèles. Elle est divisée en unités, en entités distinctes, chacune nécessitant un pouvoir central et décisionnel fort. Hoffmann a, en outre, cherché à concilier morale et réalisme politique dans les relations internationales.

Zbigniew Brzezinski

Conseiller spécial du président J. Carter, ce praticien et concepteur des relations internationales a élaboré la notion de « *idealpolitik* ». Cette notion de la politique consiste à défendre coûte que coûte les droits de l'homme partout dans le monde lorsqu'ils sont bafoués et à chercher à bâtir un certain ordre moral international limitant le recours à la force.

■ Le courant français

Jean-Baptiste Duroselle

Il représente une tendance d'historiens des relations internationales qui appuient leur doctrine sur des faits précis et des textes internationaux dûment adoptés.

Raymond Aron

Grand sociologue des relations internationales, il envisage les relations d'États comme une suite de rapports de force. Sa thèse est voisine de celle de Morgenthau ou de Hoffmann. Pour lui, la société internationale s'articule autour de deux personnages : le diplomate et le soldat.

P. Reuter et J. Combacau

Juristes des relations internationales, ces auteurs fondent leur analyse sur le respect des engagements internationaux solennels (exemple : des traités) ou plus informels (exemple : un comportement) appliqués par les sujets de droit et notamment par les États. L'accent est placé sur le principal rouage juridique de la communauté internationale et par ailleurs son fondement : le droit international.

Très riche, le courant français comprend également d'autres spécialistes : Claude-Albert Colliard, concepteur des relations internationales sous l'angle institutionnel (exemple : la coopération en matière d'environnement), Dominique Carreau qui fait, dans son analyse, une part importante aux rapports économiques et commerciaux entre États ; Charles Zorgbibe, professeur de droit, dont les travaux mettent en lumière l'importance de la politique étrangère des États ; Philippe Moreau Defarges, spécialiste des relations internationales conçues en termes de pratiques interétatiques et organisationnelles ; P.F. Gonidec qui développe une vision marxiste reposant sur des rapports de force entre États et blocs d'États (États-Unis — ex-URSS, Nord-Sud).

SOURCES
INSTITUTIONS
PERSONNES
DOMAINE PUBLIC
ÉCONOMIE
CONFLITS

Le droit international

Les fondements du droit international s'expriment à travers les théories volontaristes – le droit des gens trouve sa source dans l'expression de la volonté de l'État – et les théories objectivistes – la règle de droit tire son origine dans la soumission des sujets de droit à des normes qui s'imposent d'elles-mêmes.

▄▄▄ Sources et caractères du droit international

Il existe plusieurs sources du droit international : les conventions internationales, la coutume internationale, les principes généraux, la jurisprudence et la doctrine.

Le droit international est composé de règles normatives, obligatoires, et se sépare ainsi de la simple courtoisie et de la morale internationale ;

– il est supérieur à toute autre disposition ou règle juridique de droit interne – y compris la constitution des États – lorsqu'il a été régulièrement intégré au droit national ;

– il est en constante évolution sous l'influence de thèmes nouveaux tels que le droit de la guerre, le droit international de l'environnement, l'exploitation du fond des mers ou le désarmement ;

– il repose sur le consentement des États souverains (c'est notamment le cas concernant l'intervention d'un juge ou d'un arbitre international pour le règlement d'un différend) ;

– il est d'application variable puisque, n'ayant pas de pouvoir contraignant à l'égard des États, son application et le respect de ses règles dépendent de la volonté des sujets de droit.

▄▄▄ Ses principes

☐ Toute société devant être organisée à partir de normes, le droit est l'ensemble des règles qui organisent les rapports des personnes vivant dans une société déterminée. Le droit français se divise en deux grandes branches, droit privé et droit public. Le droit privé est l'ensemble des règles qui fixent les rapports des particuliers entre eux. Le droit public représente l'ensemble des règles qui régissent l'organisation des pouvoirs publics et leurs rapports avec les particuliers : il est dominé par la notion d'intérêt général. Les limites entre droit privé et droit public ne sont pas toujours faciles à établir. Certains faits font intervenir à la fois le droit civil (droit privé) et le droit pénal (droit public), comme par exemple un chauffeur ivre (pénal) qui renverse et blesse une personne (civil).

☐ S'opposant au *droit interne* qui régit uniquement les ressortissants d'une nation déterminée, le *droit international* régit les rapports entre les États. Il se divise lui-même en deux branches, droit public et droit privé. Cadre des relations internationales, le droit international public (appelé aussi « droit des gens ») comprend de nombreuses divisions :

– en fonction de la nature des problèmes envisagés (la paix, la guerre...) ;

– à partir d'un découpage géographique (les droits européen, américain...) ;

– et des orientations nouvelles qui trouvent leurs fondements dans l'évolution constante des questions liées à l'économie, au commerce et au développement des États.

LE DROIT FRANÇAIS ET LE DROIT INTERNATIONAL

Branches du droit	Droit national		Droit international	
	Droit public	Droit privé	Droit public	Droit privé
Domaines	• constitutionnel (fonctionnement des pouvoirs publics) • administratif (rapports entre particuliers et administration) • fiscal (détermination des impôts) • pénal (infractions aux lois)	• civil (rapports entre particuliers) • commercial (rapports entre commerçants, exercice du commerce) • travail (rapports entre employeurs et salariés à l'occasion du travail) • social (rapports entre particuliers et Sécurité sociale)	règles régissant les relations entre États et autres sujets de la société internationale (organisations internationales)	règles applicables aux personnes privées dans les relations internationales : – mariage, divorce – accident – contrats – successions
Sources	• lois • coutumes • jurisprudence	• lois • coutumes (commerciales) • jurisprudence (décisions des tribunaux)	• traités internationaux (traité de Maastricht signé en 1991) • coutume (droit de la mer) • principes généraux du droit (interdiction du génocide) • doctrine (consultations de juristes) • jurisprudence de la Cour internationale de justice, de la Cour de la Communauté européenne	• traités internationaux et lois nationales • sentences arbitrales internationales (affaire du lac Lanoux, 1957)
Juridictions compétentes	• tribunaux judiciaires • tribunaux administratifs / Conseil d'État	• tribunaux judiciaires de droit commun et d'exception (ex. : conseil de prud'hommes)	• cours internationales de justice • arbitrage international	• tribunaux nationaux • arbitrage international (affaire de Taba, revendication territoriale entre l'Égypte et Israël, 1988)

SOURCES

INSTITUTIONS

PERSONNES

DOMAINE PUBLIC

ÉCONOMIE

CONFLITS

Les traités (1)

La convention de Vienne du 23 mai 1969 définit juridiquement le traité : « le Traité est un accord international conclu par écrit entre États et régi par le droit international... » De fait, la terminologie renferme des disparités de fond ou de forme (traités de paix, d'alliance ou de commerce du GATT).

▬▬▬ Règles communes à tous les traités

☐ Le traité est la source de droit international la plus importante. C'est un document écrit, mais il peut y avoir pluralité de documents (exemple : échange de lettres ou de notes). Seuls des sujets de droit international — États et organisations internationales — peuvent conclure des traités. Le traité s'oppose ainsi à l'acte unilatéral qui est la décision d'un seul État ou d'une organisation internationale.

☐ Le traité a pour objet de produire des effets de droit (on parle de « portée ») plus ou moins contraignants pour les parties signataires ; il se distingue alors des simples déclarations d'intention dépourvues de tout effet contraignant.

▬▬▬ Appellations des engagements internationaux

☐ Un engagement international peut avoir différentes appellations (traité, accord, pacte...). Le formalisme des engagements est variable ainsi que leur portée juridique. La Commission du droit international a mis près de vingt ans pour trouver une définition de la notion complexe de « traité » qui soit acceptable par les 160 États composant la société internationale.

☐ Tous les engagements internationaux ne créent pas des règles de droit obligatoires. Ainsi une convention dûment ratifiée engage juridiquement un État alors qu'un *gentlemen's agreement*, simple accord de nature politique, précise une conduite à tenir mais est dépourvu de valeur contraignante pour l'État qui l'a adopté. De même, un traité se différencie d'une convention domaniale, accord entre un État et une organisation internationale, qui est un texte régi par le droit national de l'État (par exemple, pour l'établissement géographique et juridique d'une organisation sur le territoire d'un État).

☐ L'extrême variété, qui est offerte aux sujets de droit par le droit international, cherche avant tout à s'adapter avec souplesse aux exigences de rapidité de la société internationale tout en évitant aux États d'être « enfermés » dans des règles qu'ils n'auraient pas acceptées. Cette aptitude du droit international permet ainsi à un État d'accepter ou de refuser telle clause d'un traité ou bien d'émettre des réserves (exemple : le Royaume-Uni qui n'accepte pas, pour le moment, certains chapitres du traité de Maastricht comme la politique sociale ou la monnaie unique).

DIFFÉRENTS ENGAGEMENTS INTERNATIONAUX

Formes	Dénominations	Exemples
Engagements en forme solennelle (respect des formes prévues)	Le traité	• Le traité de l'OTAN du 4 avril 1949, qui est un traité de défense collective • Le traité de Varsovie de mai 1955 (équivalent à l'Est de l'OTAN) • Le traité de Maastricht de 1993, dans le cadre de la Communauté européenne
	La convention	Les conventions de Genève de 1958 et Montego Bay (Jamaïque) de 1982 qui codifient les principes coutumiers du droit maritime
	L'accord	Le GATT et Agétac en français (Accord général sur les tarifs douaniers et le commerce), Genève, 1er janvier 1948, qui règlemente le commerce international
	Le pacte	• Le pacte Briand-Kellog en 1928, qui met la guerre hors la loi • Le pacte de Bruxelles du 17 mars 1948 qui renforce les liens culturels, économiques et militaires entre le Bénélux, le Royaume-Uni et la France
Autres engagements internationaux (formalisme moindre)	La charte (acte fondamental d'une organisation internationale)	• La charte qui crée l'ONU, 26 juin 1945 • La charte qui crée l'OUA (Organisation de l'Unité africaine), 1960, Addis Abéba
	Le protocole (texte international complétant souvent un engagement préalable)	Protocole de Genève, 1977, qui organise notamment la protection des populations civiles en temps de guerre
	Le concordat (traité conclu entre le Saint-Siège et un État)	Accords du Latran entre l'État italien et le Saint-Siège, 11 février 1929
	Le *gentlemen's agreement* (simple lien moral entre les parties)	Communiqués publiés à l'issue de conférences ou comptes rendus de presse : • à l'issue de sommets (exemple : le G7) • à l'issue de rencontres bilatérales entre États (exemple : France-Allemagne)
	La déclaration (affirmation solennelle de certains principes ou respect d'une ligne de conduite)	• La déclaration de Londres, 19 mars 1936 : rejet de la dénonciation unilatérale du pacte de Locarno par le Reich allemand • La Déclaration universelle des droits de l'homme, 10 décembre 1948 (Assemblée générale des Nations unies)

SOURCES
INSTITUTIONS
PERSONNES
DOMAINE PUBLIC
ÉCONOMIE
CONFLITS

Les traités (2)

La conclusion des traités obéit à des règles posées par le droit international qui supposent le respect de certaines conditions. Il existe aussi des accords en forme simplifiée, notamment aux États-Unis, pour lesquels la seule signature des parties suffit à rendre obligatoire le texte international.

▬▬▬ Conditions de forme

Les engagements internationaux exigent le respect d'un certain formalisme.
□ D'abord, une *phase de négociation* qui suppose :
– un cadre variable (une conférence ou par le canal diplomatique) ;
– une autorité habilitée à négocier, c'est-à-dire soit le chef de l'État, soit un représentant dûment mandaté grâce à une lettre de pleins pouvoirs et appelé « plénipotentiaire » ;
– la rédaction d'un texte en une ou plusieurs langues.
□ Ensuite, une *phase de signature* (ou parfois un simple paraphe des plénipotentiaires) qui authentifie le texte, consacre le consentement des représentants et fixe le lieu et la date du traité.
□ En dernier lieu, une *phase de ratification* qui est constituée d'un acte écrit final et solennel engageant définitivement l'État ; en France, pour les traités les plus importants (article 53 de la Constitution), c'est le Parlement qui autorise le président de la République à ratifier le traité. Cette ratification est donc une décision écrite du chef de l'État, contresignée par le Premier ministre et le ministre des Affaires étrangères, et communiquée aux autres États signataires du traité.

▬▬▬ Conditions de fond

□ L'État doit avoir la *capacité juridique* de conclure des traités, notion anglaise de *treaty making power* que l'on retrouve dans de nombreux traités.
□ Il ne doit pas y avoir de *vice du consentement*. Le consentement de l'État ne peut être altéré par la violence, notamment armée, ou la contrainte exercée contre le sujet de droit ou les plénipotentiaires (exemple : le traité de normalisation bilatérale germano-tchèque consacrant la nullité de l'accord de Munich de 1938). L'État peut commettre une erreur de fait grave qui constitue un vice du consentement (exemple : erreur sur la détermination d'une frontière, affaire des parcelles frontalières entre la Belgique et les Pays-Bas, 1959), mais l'erreur juridique n'est pas admise par le droit international.
□ Enfin, l'objet que le traité poursuit doit être *licite*, c'est-à-dire conforme au droit. Un traité serait donc considéré comme illicite s'il stipulait, par exemple, que des États peuvent limiter les libertés individuelles des résidents étrangers. De même, un traité ne peut déroger à la notion de norme impérative développée par la convention de Vienne sur le droit des traités : le *jus cogens*, norme dont le fondement est pourtant contesté par la doctrine.

TRAITÉ SUR LA NON-PROLIFÉRATION DES ARMES NUCLÉAIRES (TNP)

Titre : objet de l'accord	
Signataires	
Préambule : – fixer les objectifs fondamentaux – énumérer les plénipoten- tiaires	

TNP

(extraits)

Les États qui concluent le présent Traité, ci-après dénommés les « Parties au Traité ».

Considérant les dévastations qu'une guerre nucléaire ferait subir à l'humanité entière et la nécessité qui en résulte de ne ménager aucun effort pour écarter les risques d'une telle guerre et de prendre des mesures en vue de sauvegarder la sécurité des peuples ;

Persuadés que la prolifération des armes nucléaires augmenterait considérablement le risque de guerre nucléaire ;

Affirmant le principe selon lequel les avantages des applications pacifiques de la technologie nucléaire, y compris tous les sous-produits technologiques que les États dotés d'armes nucléaires pourraient obtenir par la mise au point de dispositifs nucléaires explosifs, devraient être accessibles, à des fins pacifiques, à toutes les Parties du Traité, qu'il s'agisse d'États dotés ou non dotés d'armes nucléaires ;

Sont convenus de ce qui suit :

ARTICLE PREMIER

Tout État doté d'armes nucléaires qui est Partie au Traité s'engage à ne transférer à qui que ce soit, ni directement ni indirectement, des armes nucléaires ou autres dispositifs nucléaires explosifs, ou le contrôle de telles armes ou de tels dispositifs explosifs ; et à n'aider, n'encourager ni inciter d'aucune façon un État non doté d'armes nucléaires, quel qu'il soit, à fabriquer ou acquérir de quelque autre manière des armes nucléaires ou autres dispositifs nucléaires explosifs, ou le contrôle de telles armes ou de tels dispositifs explosifs.

ARTICLE 2

Tout État non doté d'armes nucléaires qui est Partie au Traité s'engage à n'accepter de qui que ce soit, ni directement ni indirectement, le transfert d'armes nucléaires ou autres dispositifs explosifs nucléaires ou du contrôle de telles armes ou de tels dispositifs explosifs ; à ne fabriquer ni acquérir de quelque autre manière des armes nucléaires ou autres dispositifs nucléaires explosifs ; et à ne rechercher ni recevoir une aide quelconque pour la fabrication d'armes nucléaires ou d'autres dispositifs nucléaires explosifs.

ARTICLE 3

Tout État non doté d'armes nucléaires qui est Partie au Traité s'engage à accepter les garanties stipulées dans un accord qui sera négocié et conclu avec l'Agence internationale de l'énergie atomique, conformément au Statut de l'Agence internationale de l'énergie atomique et au système de garanties de ladite Agence, à seule fin de vérifier l'exécution des obligations assumées par ledit État aux termes du présent Traité en vue d'empêcher que l'énergie nucléaire ne soit détournée de ses utilisations pacifiques vers des armes nucléaires ou d'autres dispositifs explosifs nucléaires.

Corps du texte international – articles numérotés – engagements des signataires à la fin du libellé de chaque article	
Date de signature du traité	
Modalités et date d'entrée en vigueur du traité	

Ce traité a été ouvert à la signature le 1er juillet 1968. Il est entré en vigueur le 5 mars 1970. À l'exception des États-Unis, de l'URSS et de la Grande-Bretagne, promoteurs du traité, les États détenteurs de l'arme nucléaire (ou susceptibles de l'être) n'ont pas ratifié ce traité. La France, pour sa part, s'est engagée à le respecter.

SOURCES

INSTITUTIONS

PERSONNES

DOMAINE PUBLIC

ÉCONOMIE

CONFLITS

Les traités (3)

Le traité régulièrement ratifié doit être respecté par les parties (selon le principe latin *pacta sunt servanda* : l'accord lie les parties) et doit produire tous ses effets juridiques. Il s'agit là d'une norme fondamentale du droit international. Mais quelle est la portée exacte de ce principe coutumier non contesté ?

Effets entre les parties signataires

☐ Des règles ont été élaborées par la jurisprudence internationale ou par le droit coutumier, puis codifiées par la convention de Vienne de 1969 sur le droit des traités : le principe de la primauté du traité sur le droit interne ; le principe d'absence d'effets directs du traité à l'égard des individus, malgré de nombreuses exceptions (exemple : les droits de l'homme ou les traités communautaires) ; la règle de la non-rétroactivité des traités, selon laquelle un texte international nouveau ne peut remettre en cause une situation antérieure acquise légalement.

☐ Cependant, certaines circonstances justifient la non-application d'un traité ou l'exonération de certaines clauses : la légitime défense ; la force majeure, événement imprévisible et insurmontable (exemple : une catastrophe naturelle) ; l'exercice de représailles — acte illicite répondant à un autre acte illicite — (exemple : un État se fait justice afin d'obtenir réparation d'un dommage en internant les nationaux de cet État).

Effets à l'égard de tierces parties

En principe, les traités ne créent à l'égard des tiers ni droits ni obligations juridiques : c'est l'effet « relatif » des traités. Un État ne peut donc se prévaloir d'un engagement signé entre d'autres États afin d'en tirer profit. Mais dans certains cas, un traité peut bénéficier à un État tiers en créant une situation objective reconnue par tous les États (exemple : la création de la Belgique par le traité de 1831).

L'interprétation des traités

Les clauses obscures ou ambiguës d'un traité sont interprétées par le juge national ou, si le différend persiste, par recours à l'arbitrage international ou à une juridiction supranationale (exemple : la Cour de justice de la CEE).

L'extinction des traités

☐ L'extinction d'un engagement consacre sa disparition définitive. Un traité peut prendre fin par l'arrivée de son terme, par la volonté des parties ou l'apparition de certains événements : la disparition de l'élément essentiel du traité (l'objet du traité) ; un changement fondamental de circonstances : c'est le principe discuté de la « clause *rebus sic stantibus* », qui considère le traité comme inadapté (exemple : le retrait de la France du commandement intégré de l'OTAN en 1966) ; la guerre rompt toutes relations conventionnelles entre États belligérants, mais elle suspend seulement les effets des traités multilatéraux entre ces États.

☐ La violation substantielle d'un traité par l'une des parties peut autoriser les autres parties à considérer le traité comme caduc ou suspendu.

■ Que dit l'article 55 de la Constitution française de 1958 ?

Il pose le principe fondamental et indiscutable de la suprématie des conventions internationales sur la loi française. Pour donner tout son effet au principe, trois conditions doivent être remplies : la ratification ou l'approbation de la convention (ou traité, accord...) ; la publication au *Journal officiel* du texte de la convention ; l'application de la convention par l'autre partie à la convention.

■ L'interprétation de l'article 55

– Dès 1975, dans l'affaire de la Société des cafés Jacques Vabre du 24 mai, la Cour de cassation admet le principe de la primauté des conventions internationales (articles du traité de Rome de 1957 et du Code français des Douanes).
– La position du Conseil d'État a, elle, évolué. Dans l'affaire Syndicat général de fabricants de semoule du 1er mars 1968, il refuse d'écarter l'application d'une loi contraire à la Constitution française. Mais, dans l'arrêt Nicolo du 20 octobre 1989, par un revirement spectaculaire de sa jurisprudence, il admet désormais la supériorité d'un accord international sur la loi. Il est allé plus loin par la suite en étendant ce principe aux règlements communautaires auxquels une loi française postérieure à leur adoption ne peut déroger (arrêt Boisdet du 24 septembre 1990).
– Le Conseil constitutionnel se déclare incompétent pour vérifier, d'une part, la conformité d'une loi à un traité (décision 74-54 du 15 janvier 1975, à propos de la loi S. Veil relative à l'interruption volontaire de grossesse) et, d'autre part, pour vérifier la compatibilité de deux conventions entre elles (décision 80-116 du 17 juillet 1980). Cependant le Conseil n'hésite pas à relever qu'une loi viole directement l'article 55 de la Constitution (décision 86-216 du 3 septembre 1986).

■ Les conditions d'application des conventions internationales

– La jurisprudence française (c'est-à-dire l'ensemble des décisions des tribunaux) retient deux règles : l'inapplicabilité des engagements internationaux non publiés au *Journal officiel* et le principe de la rétroactivité des effets de la publication à la date d'entrée en vigueur de l'engagement. Les tribunaux judiciaires se déclarent compétents pour interpréter les questions de droit international.

– Le Conseil d'État reconnaît depuis peu être compétent pour interpréter un accord international (arrêt GISTI du 29 juin 1990).

■ La responsabilité des conventions internationales

En vertu des règles de la responsabilité du fait des lois et selon la jurisprudence du Conseil d'État, le préjudice causé par une convention internationale doit présenter, pour être retenu, un caractère certain de gravité (affaire Dame Burgat du 29 octobre 1976).

SOURCES
INSTITUTIONS
PERSONNES
DOMAINE PUBLIC
ÉCONOMIE
CONFLITS

La coutume

Selon le Statut de la Cour internationale de justice, la coutume est une pratique acceptée comme étant le droit. La Cour définit la coutume comme « une pratique assimilée au droit ». Il s'agit donc d'une source de règles juridiques non écrites.

Source du droit

Définie par la Cour internationale de justice en son article 38 § 1, la coutume internationale est modulable et adaptable. Cependant, son contenu est difficile à connaître avec certitude. La règle coutumière tient encore, de nos jours, une place essentielle dans la communauté internationale.

L'élément matériel

☐ La coutume naît d'abord de la répétition d'actes semblables pour des situations comparables. Ces usages peuvent ainsi se fonder sur des pratiques répétées dans le temps et dans l'espace, par exemple des votes au sein d'organisations internationales, des pratiques diplomatiques ou consulaires, des clauses-types dans un traité ou dans un contrat international (exemple : les lois et coutumes de la guerre) et des déclarations d'intention suivies d'effets.
☐ Le caractère obligatoire de la coutume découle de l'accord tacite des États selon certains auteurs (École positiviste) et de la nécessité de la vie en société pour d'autres (École objectiviste).

L'élément psychologique

La pratique provient d'un sentiment fort d'une obligation juridique qui est la reconnaissance par les sujets de droit international du caractère impératif et consacré de l'usage. Pour que la coutume puisse être admise, les États intéressés ne doivent pas y faire opposition, ce qui en annulerait la portée. Cette opposition peut découler d'une protestation expresse par voie diplomatique. Elle peut aussi se manifester par une réserve émise lors de la négociation d'un traité et prise en compte au moment de la signature de l'engagement international.

La codification

Afin d'assurer à la coutume toute son efficacité, la Commission du droit international (CDI) de l'ONU est chargée, depuis 1947, de constater et surtout de développer le droit international.
Cet organe de 34 juristes a réussi, en s'inspirant de la doctrine, à codifier de nombreux textes internationaux et à leur donner le caractère de certitude juridique qui s'y rattache : c'est le droit de la mer en 1958, le statut des agents diplomatiques et consulaires en 1961 et 1963 ou le droit des traités en 1969.

DE LA COUTUME AU DROIT

■ Historique de la coutume

Le fondement historique de cette source du droit international date de plusieurs siècles. Depuis que les entités politiques, les royaumes et, par la suite, les États existent, de nombreuses coutumes se sont développées. Les règles de conduite lors de guerres, le respect des frontières ou leur reconnaissance réciproque par les États, la largeur des eaux territoriales ont progressivement, ou parfois de façon spontanée, été reconnus par la communauté internationale et, par suite, été érigés en principes normatifs du droit international.

■ Les différentes coutumes

Locales, régionales ou universelles, les coutumes ont été très nombreuses et restent encore présentes dans certains domaines. C'est le juge international, et notamment la Cour internationale de justice, qui est amené à constater que telle ou telle coutume existe. Parmi les coutumes incontestables, il convient de citer : la possibilité pour un juge de statuer en équité, c'est-à-dire en écartant les règles de droit existantes, les règles relatives au droit de la mer constituées dès le XVIIe siècle par les États européens, le droit d'asile accordé par un État à un individu, le droit de libre passage sur un territoire ou la protection des personnes civiles en cas de guerre déclarée, ou encore les préséances et protections des diplomates.

■ Que reste-t-il de la coutume ?

Comment, dans un monde où tout est canalisé, « normalisé » et dans lequel l'écrit est indispensable, la coutume peut-elle encore trouver une place de choix ? C'est oublier qu'une pratique répétée et graduellement acceptée par la société internationale peut devenir une coutume. Ainsi, lorsque les organisations internationales votent des résolutions, elles participent à terme à la formation de pratiques, et bientôt à la constitution de coutumes et d'usages admis par les sujets du droit international. Le meilleur exemple nous est fourni par l'ONU qui, grâce à son universalisme, adopte des résolutions dans des domaines précis (par exemple, en matière de décolonisation, du droit des peuples à disposer d'eux-mêmes, en ce qui concerne la souveraineté permanente de l'État sur ses ressources naturelles ou encore concernant le respect de l'environnement).

■ Vers de nouvelles applications coutumières ?

Le droit international opère des mues incessantes. Certes, les règles coutumières ont été largement codifiées par des traités et engagements internationaux afin de leur conférer un degré élevé de certitude. Il n'empêche que la coutume se découvre de nouveaux laboratoires de développement dans deux directions :

– la prise de conscience qu'il faut préserver la Terre des agressions de l'homme (droit de l'environnement). La règle coutumière est de chercher, avant d'entériner cet acquis dans un traité prématuré, à asseoir des pratiques acceptables par tous les États (exemples : déversement d'eaux usées, limitation de la pollution de l'air, préservation des espèces en voie de disparition, etc.) ;

– l'apparition d'une véritable norme coutumière visant à créer un droit d'ingérence humanitaire systématique, dès lors qu'une population est menacée (exemples : problème de la faim, internement arbitraire, etc.).

SOURCES
INSTITUTIONS
PERSONNES
DOMAINE PUBLIC
ÉCONOMIE
CONFLITS

Autres sources du droit

Les sources du droit international sont, selon la Cour internationale de justice : les traités, la coutume et les sources subsidiaires. Parmi ces dernières, on trouve les principes généraux du droit, la doctrine et la jurisprudence internationale qui entretiennent des liens étroits.

▬▬ Principes généraux

Ce sont les principes communs aux systèmes juridiques des États civilisés. Ils ont un caractère transitoire, supplétif (complète) et sont destinés à se transformer en règles coutumières : d'un précédent pourra naître une pratique. C'est le cas pour :
– les principes de la responsabilité internationale et de la réparation posés par l'arrêt de la Cour permanente de justice internationale dans l'affaire de l'usine de Chorzow en 1928 et par l'affaire du détroit de Corfou jugée en 1949 ;
– le principe de l'interprétation des traités internationaux (exemple : le recours aux travaux préparatoires pour éclairer un texte obscur) ;
– la fonction juridictionnelle internationale qui s'inspire des principes de droit étatique (exemple : la règle contradictoire de la procédure ou le principe de l'autorité de la chose jugée) ;
– le principe de la continuité de l'État en cas de guerre, de changement de régime ou de gouvernement ;
– les principes de la coexistence pacifique établis par la résolution 2625 (XXV) de l'Assemblée générale de l'ONU ;
– ou encore les principes dictés par un impératif moral (exemple : l'interdiction du génocide).

▬▬ La doctrine

☐ La doctrine est moins une source autonome du droit qu'un moyen destiné à éclairer ou déterminer d'autres sources du droit international : c'est avant tout une œuvre critique émanant de spécialistes renommés, les « publicistes ». Elle cherche à favoriser l'élaboration du droit positif par un travail d'analyse, de commentaires et de synthèses.
☐ De nombreux travaux collectifs font désormais référence. On peut citer ceux de l'International Law Association, créée en 1873 à Londres, de l'Institut américain de droit international, créé en 1912 à Washington et ceux de l'Académie de droit international de La Haye, qui organise, depuis sa fondation en 1923, des cours de droit international.

▬▬ La jurisprudence

C'est essentiellement dans le domaine de la règle coutumière que la jurisprudence exerce une action et s'érige en source du droit international. Les décisions judiciaires et les sentences arbitrales peuvent contribuer — grâce à la notion de précédents — à la formation d'une coutume internationalement reconnue (exemple : l'affaire Nottebohm en 1955 concernant la protection diplomatique).

LES PRINCIPES GÉNÉRAUX

■ Les origines

Dès le XXᵉ siècle, les nations civilisées ont cherché à établir, afin de les appliquer, un certain nombre de principes juridiques minimum. Ce sont des règles autonomes de droit admises sans contestation possible par tous les États, même si chacun n'a pas nécessairement participé à leur élaboration.

Il s'agit là de principes généraux juridiques, qui excluent par définition tous les principes de nature politique, comme les doctrines d'État (exemple : la doctrine américaine Monroe, au XIXᵉ siècle, qui consacrait l'isolement des États-Unis et faisait du continent américain leur « chasse gardée ») et toutes les règles fondées sur l'équité.

■ Leur place et leur évolution

Les principes généraux du droit sont considérés par les tribunaux internationaux uniquement comme une source secondaire, supplétive du droit international. À l'inverse de la coutume, source majeure du droit international, ces principes ne découlent pas d'actes répétés et admis à ce titre par les sujets du droit. Ce sont des règles de droit autonomes qui prennent place dans l'ordre juridique international, en tant que tel.

Jusqu'à l'arrivée au pouvoir du président Gorbatchev en mars 1985, l'analyse soviétique rejetait fermement les principes généraux du droit, considérés alors comme l'émanation directe et idéologique de principes de droit occidentaux.

De nos jours, tous les États admettent — hormis quelques-uns politiquement fermés, comme la Birmanie — aisément l'existence de tels principes, qui progressivement deviennent incontestables (exemples : respect des traités dûment ratifiés, condamnation des crimes contre l'humanité, reconnaissance de la responsabilité internationale des États...).

■ Un exemple : la responsabilité d'un État et l'affaire du « détroit de Corfou »

Les faits

En 1946, des bâtiments de guerre de la Royal Navy naviguent sans autorisation dans le détroit de Corfou, situé dans les eaux territoriales albanaises. Ces navires vont heurter des mines, faisant plusieurs morts et occasionnant de nombreux dégâts matériels. Le Royaume-Uni saisit la Cour internationale de justice.

La décision de la Cour

La Cour admet la responsabilité internationale de l'Albanie, alors même que le Royaume-Uni avait procédé d'autorité au déminage des eaux territoriales albanaises. En effet, l'Albanie, selon la Cour, aurait dû prévenir tous les navires étrangers de la présence de mines dans ses eaux internes.

La Cour retient en conséquence « le principe général bien reconnu de la liberté des communications maritimes et l'obligation, pour tout État, de ne pas laisser utiliser son territoire à des fins contraires aux droits d'autres États ».

SOURCES
INSTITUTIONS
PERSONNES
DOMAINE PUBLIC
ÉCONOMIE
CONFLITS

Les actes unilatéraux

> L'acte international unilatéral est celui par lequel un sujet de droit pose seul des normes génératrices de droits et d'obligations. Ces manifestations unilatérales de volonté produisent des effets juridiques dans l'ordre international. L'acte unilatéral n'est cependant qu'une source subsidiaire du droit international.

▬▬ Régime juridique des actes unilatéraux

□ C'est l'autorité habilitée à représenter juridiquement l'État qui est compétente pour prendre des actes unilatéraux. Cette prise de position se présente généralement sous la forme d'un acte écrit transmis par le canal diplomatique, mais une déclaration orale non équivoque revêt la même autorité, par exemple au cours d'une conférence de presse.

□ L'acte unilatéral doit être conforme aux normes reconnues du droit international, parmi lesquelles l'intérêt à agir, la bonne foi ou le principe de l'effectivité.

▬▬ Les réserves

□ La portée juridique des actes unilatéraux est variable. L'État, partie à un engagement international, qui ne souhaite pas voir appliquer ce texte dans son intégralité, doit le signaler de façon expresse à tous les niveaux de la négociation jusqu'à la conclusion, sous la forme d'une réserve (le Royaume-Uni a émis des réserves à propos de la charte sociale du traité de Maastricht). La raison est souvent d'ordre constitutionnel, comme des clauses d'un traité contraires au droit national.

□ Les réserves sont émises au moment de la signature du traité ou au moment de la ratification et doivent remplir certaines conditions : figurer dans un « instrument » diplomatique (un texte), ne pas être interdites par le traité, ne pas être en contradiction avec l'objet et le but de l'engagement international et être acceptées par les autres parties contractantes. Concrètement, la réserve ne fait pas obstacle à l'entrée en vigueur du traité. En fait, elle affecte le lien juridique entre l'État auteur de la réserve et les autres parties contractantes. Le retrait de la réserve est possible à tout moment.

▬▬ Diversité des actes

Il existe plusieurs catégories d'actes unilatéraux. Les « résolutions » émanent d'organisations internationales, mais ne constituent pas des sources incontestables du droit international.

Actes	Buts recherchés	Effets	Spécificités	Exemples
La notification	faire connaître un fait déterminé	acte-condition	acte facultatif	déclaration de guerre
La protestation	ne pas reconnaître une prétention, une situation	– préservation de droits – évite la consolidation d'une situation	acte confirmatif de droits	ne pas accepter une violation de frontière ou le recours à la force armée

18

UN ACTE DE RECONNAISSANCE :
LA DÉCLARATION BALFOUR

■ Le contexte

Haïm Weizmann, savant juif biélorusse, travaille au Royaume-Uni. Il se consacre à des recherches chimiques sur les explosifs en vue d'accélérer la fin de la Première Guerre mondiale (1914-1918) et met ses importantes découvertes au service des Alliés. À Lord Balfour, ministre des Affaires étrangères britannique qui lui demande ce qu'il désire en échange des services rendus à la Couronne, il répond cette phrase demeurée célèbre : « Rien pour moi, mais quelque chose pour mon peuple. » Il fut le premier président de l'État d'Israël de 1948 à 1952. Il mourut le 30 octobre 1952.

■ Le texte

« J'ai le grand plaisir de vous adresser, de la part du gouvernement de Sa Majesté la déclaration suivante, sympathisant avec les aspirations juives sionistes, déclaration qui a été soumise au Cabinet et approuvée par lui.
« Le gouvernement de Sa Majesté envisage favorablement l'établissement en Palestine d'un Foyer national pour le peuple juif, et emploiera tous ses efforts pour faciliter la réalisation de cet objectif, étant clairement entendu que rien ne sera fait qui pourrait porter préjudice aux droits civils et religieux des communautés non juives en Palestine ainsi qu'aux droits et au statut politique dont les Juifs pourraient jouir dans tout autre pays. »
Le texte de cette déclaration est, en fait, celui de la lettre envoyée le 2 novembre 1917 à Lord Rothschild, agissant pour le Comité politique de l'Organisation sioniste, par Lord Balfour.

■ Les conséquences

En 1947, une commission de l'ONU est chargée de résoudre le problème palestinien. Elle propose de partager la Palestine en trois secteurs : un État juif, un État arabe et la ville de Jérusalem devenant zone internationale.

Le 29 novembre 1947, les représentants des 56 États membres de l'ONU adoptent la proposition de la commission. En dépit du refus des pays arabes, le plan de partage est voté par 33 États, 13 États votent contre et 10 États s'abstiennent.

Dans la nuit du 14 au 15 mai 1948, après trente années de mandat britannique sur la Palestine, l'Union-Jack est définitivement amené. Quelques heures auparavant, les dirigeants de l'Agence juive s'étaient réunis à Tel-Aviv afin de proclamer la création de l'État hébreu. M. Ben Gourion, premier chef du gouvernement d'Israël, donne la lecture de la Déclaration d'indépendance, qui définit les statuts du nouvel État.

Cependant, en état de guerre permanent depuis sa création, l'État d'Israël a livré cinq guerres aux pays arabes : en 1948, la guerre d'indépendance, en 1956 avec l'affaire de Suez, en 1967, la guerre des Six jours, en 1973, la guerre du Kippour et en 1982 celle du Liban.

Les perspectives de paix sont désormais à l'ordre du jour depuis la signature de Washington, le 13 septembre 1993, de la déclaration de principes sur l'autonomie dans les territoires occupés.

SOURCES
INSTITUTIONS
PERSONNES
DOMAINE PUBLIC
ÉCONOMIE
CONFLITS

La France et les relations internationales

La France occupe sur la scène internationale une place particulière. Ce n'est pas une « superpuissance », mais ses prises de position sur les grands problèmes sont souvent attendues.

■■■■■ La France, partout présente dans le monde

□ La France entretient des relations profondes avec ses anciennes colonies, notamment africaines. Chaque année, un sommet franco-africain réunissant plus de 30 États se tient en France ou en Afrique afin de renforcer la coopération économique et culturelle entre ces États. Agir vis-à-vis des pays en développement est une constante de la politique extérieure de la France.

□ Sur le plan militaire et de l'assistance technique, la France est liée par un réseau d'accords avec des pays d'Afrique lui permettant d'intervenir militairement à la demande du gouvernement en place (exemple : au Tchad avec le déclenchement de l'opération Manta qui mobilisa près de 3 500 militaires français ou encore l'opération Épervier en 1986).

□ En outre, la France tient à préserver sa langue et son expansion. Ainsi, Paris a organisé en 1986 le premier sommet de la francophonie regroupant 42 participants. L'Alliance française, qui a célébré son centenaire en 1983, est la première association nationale pour la propagation de la langue française dans le monde.

□ Enfin, les départements et territoires d'outre-mer permettent à la France de posséder la troisième façade maritime au monde grâce à sa zone économique exclusive (ZEE) de 200 milles marins.

■■■■■ La France, cofondatrice de l'Europe

La France joue par ailleurs totalement la carte de l'Europe communautaire, étant l'un des États fondateurs et signataires du traité de Rome de mars 1957. Paris est souvent l'initiateur de nombreux projets européens (exemples : le système d'observation de la Terre de 1976, le programme Eurêka de 1986 aux 62 projets de coopération technologique, les accords de Schengen de 1990 ou ceux de Maastricht de décembre 1991), fondamentaux pour l'avenir de l'Europe.

■■■■■ La politique d'indépendance nucléaire

□ La France dispose d'une politique nucléaire indépendante. L'Élysée entend mener une stratégie de défense autonome reposant sur deux principes : d'une part, l'emploi de l'arme nucléaire préstratégique – élément de la stratégie globale de dissuasion — ayant la valeur d'un ultime avertissement et, d'autre part, l'utilisation de sous-marins nucléaires – force océanique stratégique – constituant l'arme suprême de la politique française de dissuasion.

□ La France est membre de l'Alliance atlantique qui a été constituée en 1949. Mais à la suite d'une décision du général de Gaulle, elle n'appartient plus au commandement militaire intégré de l'Organisation du traité de l'Atlantique Nord (OTAN) depuis 1966.

LA FRANCOPHONIE

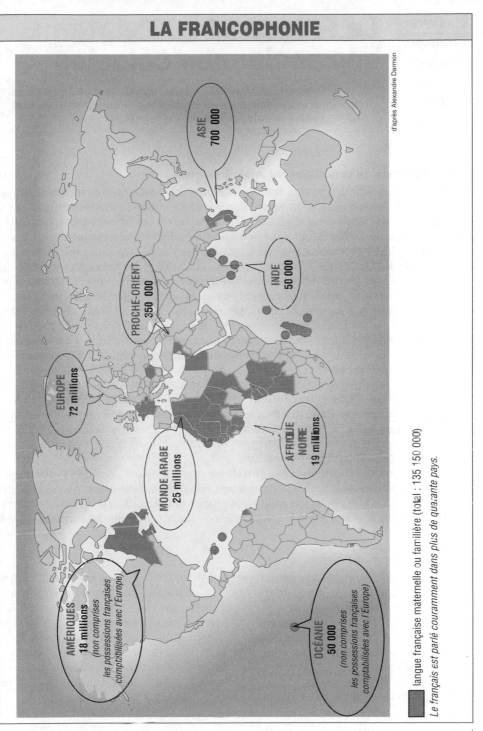

d'après Alexandre Darmon

ASIE
700 000

PROCHE-ORIENT
350 000

INDE
50 000

EUROPE
72 millions

AFRIQUE NOIRE
19 millions

MONDE ARABE
25 millions

AMÉRIQUES
18 millions
(non comprises
les possessions françaises
comptabilisées avec l'Europe)

OCÉANIE
50 000
(non comprises
les possessions françaises
comptabilisées avec l'Europe)

langue française maternelle ou familière (total : 135 150 000)

Le français est parlé couramment dans plus de quarante pays.

21

SOURCES
INSTITUTIONS
PERSONNES
DOMAINE PUBLIC
ÉCONOMIE
CONFLITS

La France et ses anciennes colonies

Très présente dans le monde dès le XIXᵉ siècle, la France a toujours souhaité entretenir des relations économiques et politiques profondes avec son ex-empire colonial.

■■■■ Contexte de la position coloniale française

□ La France a adopté, au gré des événements internationaux, plusieurs politiques et attitudes à l'égard de son empire colonial. Elle est ainsi passée par quelques phases majeures. Elle prend d'abord pied sur d'autres continents que l'Europe, comme en Afrique du Nord (exemple : en Algérie en 1830). Puis, Paris entend développer une politique coloniale active, notamment sous l'impulsion du Second Empire et de la Troisième République en Afrique noire, en Syrie par le biais de nombreuses missions, en Indochine (conquête de la Cochinchine, 1859-1862) et même en Chine et en Inde (des comptoirs), conjointement avec l'Angleterre.

□ Au début du XXᵉ siècle se multiplient les rivalités entre Empires coloniaux, qui conduiront à la constitution de blocs aux intérêts opposés. L'Empire colonial français évolue après 1945 vers l'indépendance politique des ex-colonies. La coopération inter-étatique peut dès lors s'intensifier, entre partenaires commerciaux égaux, au moins en théorie.

■■■■ Une coopération économique, politique et culturelle tous azimuts

□ Globalement, depuis 1960, la France met un point d'honneur, au sein des instances internationales, à venir en aide aux États indépendants d'Afrique et d'Asie (exemple : Vietnâm depuis son ouverture politique), désormais parties intégrantes des Sommets de la Francophonie.

□ Cette assistance opérationnelle prend des formes diverses : des dons, des annulations, des remises ou des rééchelonnements de dettes, l'envoi sur place de techniciens et d'experts – y compris militaires – pour la réalisation d'investissements privés ou publics (exemple : hôpitaux) ou l'amélioration de la formation des jeunes.

■■■■ La France et l'Afrique noire

Considérée parfois comme le « gendarme de l'Afrique », la France est liée aux pays d'Afrique noire par un réseau serré d'accords et traités militaires, presque tous secrets, qui organisent pourtant la présence de troupes françaises et leur déploiement rapide en cas de besoins, comme au Sénégal ou à Djibouti. Faut-il y voir une forme d'ingérence, de néo-colonialisme ? C'est oublier que ces États, convoités par des puissances locales (exemple : le Tchad par la Libye), n'ont pas encore 40 années d'existence politique et qu'ils ont, en parfaite connaissance de cause, sollicité cette assistance armée. La stabilité de l'Afrique noire est une constante majeure dans la politique extérieure française.

LA COOPÉRATION MILITAIRE EN AFRIQUE

■ Interventions militaires françaises des 10 dernières années

États	Années et opérations
Tchad	1983-1984 : opération Manta contre la Libye (mobilisation de 3 000 hommes)
Tchad	1986 : opération Épervier contre la Libye (1 500 hommes)
Togo	1986 : 150 parachutistes envoyés après la tentative de coup d'État contre le président Eyadema
Comores	1989 : 200 militaires débarquent après l'assassinat du président Abdallah et le départ du mercenaire Bob Denard
Rwanda	1990 : France et Belgique envoient des troupes après l'invasion du Nord-Ouest du pays par les rebelles du Front patriotique rwandais
Zaïre	1991 : 1 500 soldats défendent les ressortissants français victimes d'émeutes provoquées par l'armée zaïroise

■ Présence militaire française permanente en Afrique

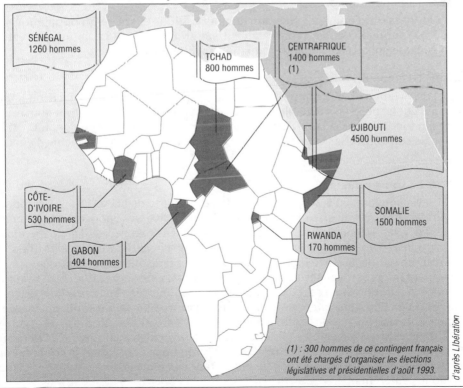

SÉNÉGAL
1260 hommes

TCHAD
800 hommes

CENTRAFRIQUE
1400 hommes
(1)

DJIBOUTI
4500 hommes

CÔTE-D'IVOIRE
530 hommes

SOMALIE
1500 hommes

GABON
404 hommes

RWANDA
170 hommes

(1) : 300 hommes de ce contingent français ont été chargés d'organiser les élections législatives et présidentielles d'août 1993.

d'après Libération

23

SOURCES
INSTITUTIONS
PERSONNES
DOMAINE PUBLIC
ÉCONOMIE
CONFLITS

La structure de l'État

Définis à partir d'éléments physiques et non physiques, les États diffèrent par la taille, la puissance et le régime politico-économique. Le monde est divisé en 190 unités étatiques, 183 d'entre elles sont membres de l'ONU.

▬▬ Le territoire

Le territoire d'un État est délimité par des frontières, lignes de séparation déterminées entre États limitrophes. Il est lui-même triple :
– le territoire terrestre comprend fleuves, lacs et mers intérieures. Il n'est pas nécessairement d'un seul tenant : c'est le cas de la Malaisie, qui s'étend en partie sur la presqu'île de Malacca et en partie sur l'île de Bornéo, ou des États-Unis ;
– le territoire maritime est la zone bordant les côtes ;
– le territoire aérien est constitué de l'espace surplombant les territoires terrestre et maritime. Mais l'espace extra-atmosphérique est libre en vertu du traité sur l'espace du 27 janvier 1967.

▬▬ La population

Un État est un « phénomène » humain, démographique et social. Sa population est formée de nationaux et d'étrangers vivant sur son territoire. La nationalité est le lien juridique qui rattache chaque individu à un État donné.

▬▬ Le gouvernement

C'est l'association du pouvoir politique et de l'appareil administratif. Le droit international public pose un préalable à l'exercice du pouvoir politique : tout gouvernement est fondé à représenter l'État à condition de gouverner réellement. C'est la notion de contrôle de la majeure partie de la population, appelé « principe d'effectivité ».

▬▬ La souveraineté

□ L'État est souverain d'après l'article 2 § 1ᵉʳ de la Charte de l'ONU. Il a la personnalité juridique et peut ainsi exercer des compétences diverses : pouvoir de commandement sur ses sujets, exploitation de ses ressources naturelles. Il est cependant soumis à des règles de droit impératives telles que l'égalité juridique des États, la non-discrimination, la participation effective aux organisations internationales.
□ Il ne peut intervenir dans les affaires intérieures ou extérieures d'un État : c'est le principe de la non-ingérence. Les contraintes militaires, les pressions économiques qu'un État puissant peut exercer sur un autre plus faible sont considérées comme illicites, sauf cas de légitime défense.
□ Dans cet esprit, l'Assemblée générale des Nations unies a adopté, le 24 octobre 1970, une résolution déclaratoire relative aux « relations amicales et la coopération entre États » qui pose 7 principes de coexistence pacifique entre États à régimes politiques différents.

LE CONFLIT SINO-INDIEN SUR LE TIBET

Dans l'acte de partition des Indes britanniques du 3 juin 1947, 17,5 % sont attribués au Pakistan et 82,5 % à l'Inde. Lors de l'accession de l'Inde à la souveraineté, Londres lui remet le 15 août 1947, entre autres, ses droits extraterritoriaux sur le Tibet.

Mais le 7 octobre 1950, le Tibet est occupé par les forces armées chinoises, agression condamnée par l'Assemblée générale de l'ONU le 7 novembre. Un conflit, fait d'incursions militaires des armées des deux États, commence et va durer cinq années.

Charte
de la coexistence
pacifique

Le Traité sino-indien sur le Tibet, signé à Pékin le 29 avril 1954, et les cinq principes de la coexistence pacifique

« Le Gouvernement de la République indienne et le Gouvernement central du peuple de la République populaire de Chine désireux de promouvoir les relations culturelles et commerciales entre la région tibétaine de Chine d'une part, et de l'Inde d'autre part, et de faciliter les pèlerinages et voyages des citoyens chinois et indiens :

Ont résolu de conclure un traité basé sur les principes suivants :

1. Interdiction de violer l'espace territorial de l'autre État

[1. Respect mutuel de l'intégrité territoriale et de la souveraineté ;

2. Pas de menaces, pas de conflit armé avec l'autre État signataire

[2. Non-agression mutuelle ;

3. Libre choix de la conduite de la politique intérieure

[3. Non-immixtion mutuelle dans les affaires intérieures ;

4. Développement des relations économiques, commerciales et culturelles entre États

[4. Égalité et avantages mutuels ;

5. Principe fondamental des relations internationales sous-tendant les 4 premiers principes

[5. Coexistence pacifique.

Et, dans ce but, ont désigné respectivement comme plénipotentiaires :

Le Gouvernement de la République indienne ; le Gouvernement central du peuple de la République populaire de Chine, lesquels après avoir vérifié leurs lettres de créance, et les considérant en bonne et due forme, se sont mis d'accord sur les points suivants [...]. »

SOURCES
INSTITUTIONS
PERSONNES
DOMAINE PUBLIC
ÉCONOMIE
CONFLITS

Le gouvernement français

Dans les relations d'État à État, les organes gouvernementaux déterminent et conduisent la politique internationale. La répartition des attributions propres aux organes étatiques est établie par la Constitution de l'État, comme c'est le cas en France avec la Constitution du 4 octobre 1958.

▬▬▬ Le chef de l'État : un rôle international majeur

☐ Le président de la République négocie et ratifie les traités sous réserve de l'autorisation du législateur. Il accrédite les ambassadeurs et les envoyés extraordinaires auprès des puissances étrangères. Il intervient directement et personnellement dans les négociations diplomatiques et dans les sommets. Lorsqu'il est à l'étranger, il bénéficie d'un régime total d'immunités. Le chef de l'exécutif peut saisir le Conseil constitutionnel pour savoir si un engagement international comporte une clause contraire à la Constitution française.

☐ Le président de la République est le représentant supérieur de l'État, il engage son pays et participe à la politique étrangère de la France. Les différents présidents de la République française de la Ve république ont tous considéré la politique internationale comme une des priorités impérieuses relevant directement du chef de l'État.

▬▬▬ Le ministre des Affaires étrangères

☐ Le ministre des Affaires étrangères a pour mission d'élaborer et de conduire la politique étrangère de la France. Il a le pouvoir d'engager l'État par sa seule signature et il le représente lors de conférences diplomatiques. Il dispose d'un droit d'entrée permanent et de parole auprès des organisations internationales.

☐ Chef de la diplomatie, il adresse des instructions aux agents diplomatiques et consulaires dont il est le supérieur hiérarchique. Parfois célèbre pour ses navettes entre États, tractations et petits pas (aux États-Unis, les secrétaires d'État Henry Kissinger et James Baker), le ministre des Affaires étrangères sait que, lors de ses déplacements, ses moindres faits et gestes sont interprétés par l'opinion publique.

☐ Le ministre des Affaires étrangères cherche à coordonner, voire contrôler l'action des autres ministres, membres du gouvernement, qui peuvent avoir des relations directes avec leurs homologues étrangers dans les enceintes internationales ou au cours de la signature de conventions bilatérales.

▬▬▬ Le Premier ministre

Enfin, il convient de remarquer que la Constitution française, d'un strict point de vue juridique, ne confère en matière de relations internationales aucun rôle au Premier ministre, pourtant chef du gouvernement de la France.

LE TRAITÉ DE MAASTRICHT

Comment intégrer un engagement international dans l'ordre juridique français

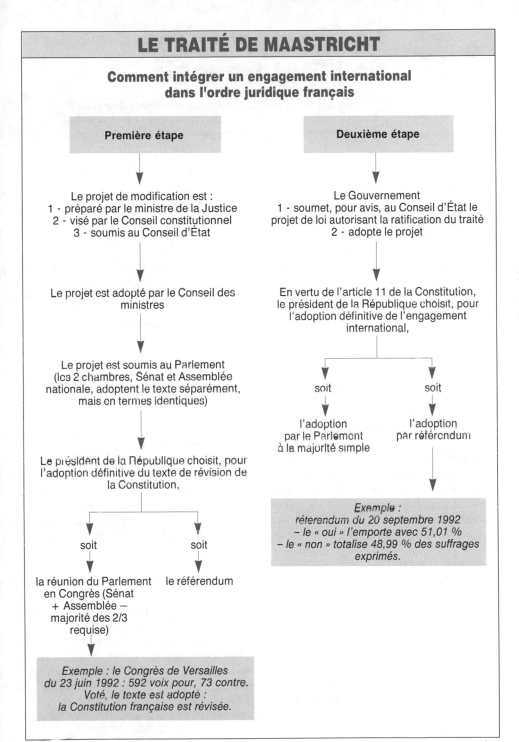

Première étape

↓

Le projet de modification est :
1 - préparé par le ministre de la Justice
2 - visé par le Conseil constitutionnel
3 - soumis au Conseil d'État

↓

Le projet est adopté par le Conseil des ministres

↓

Le projet est soumis au Parlement
(les 2 chambres, Sénat et Assemblée nationale, adoptent le texte séparément, mais en termes identiques)

↓

Le président de la République choisit, pour l'adoption définitive du texte de révision de la Constitution,

soit → la réunion du Parlement en Congrès (Sénat + Assemblée — majorité des 2/3 requise)

soit → le référendum

Exemple : le Congrès de Versailles du 23 juin 1992 : 592 voix pour, 73 contre. Voté, le texte est adopté : la Constitution française est révisée.

Deuxième étape

↓

Le Gouvernement
1 - soumet, pour avis, au Conseil d'État le projet de loi autorisant la ratification du traité
2 - adopte le projet

↓

En vertu de l'article 11 de la Constitution, le président de la République choisit, pour l'adoption définitive de l'engagement international,

soit → l'adoption par le Parlement à la majorité simple

soit → l'adoption par référendum

Exemple : référendum du 20 septembre 1992 – le « oui » l'emporte avec 51,01 % – le « non » totalise 48,99 % des suffrages exprimés.

SOURCES
INSTITUTIONS
PERSONNES
DOMAINE PUBLIC
ÉCONOMIE
CONFLITS

Les compétences de l'État français

L'État jouit de compétences reconnues par le droit international. Cette situation implique l'observation par l'État d'obligations et de devoirs imposés par la communauté internationale.

▬▬ La compétence personnelle

C'est le pouvoir juridique conféré à un État d'agir à l'égard de ses nationaux. Cette action s'exerce sur les éléments suivants :
– la nationalité, lien qui rattache une personne à un État, chaque État étant libre d'attribuer sa nationalité ;
– le droit de légiférer, c'est-à-dire de prendre des actes individuels (exemple : un ordre de mobilisation militaire) ;
– le refus d'extrader un national, ce qui explique les difficultés des États à obtenir l'extradition de criminels de guerre ;
– la protection diplomatique qui est le droit pour l'État d'agir en faveur de ses nationaux auprès de l'État de séjour (exemple : négocier la libération d'otages).

▬▬ L'État et les services publics

À l'étranger, l'État a le droit d'administrer et de défendre ses services publics. Il bénéficie alors d'une *immunité de juridiction* qui lui permet d'échapper à la compétence des tribunaux étrangers. Enfin, il dispose d'une *immunité d'exécution*, comme l'absence de mesures conservatoires contre ses biens (exemple : des saisies).

▬▬ La compétence territoriale

Il s'agit du pouvoir juridique général et exclusif d'un État d'agir sur son territoire national, terrestre et maritime. Cette situation a pour conséquences : la non-immixtion (ou non-ingérence) dans les affaires intérieures de la part des États étrangers, l'interdiction en France des actes de contrainte, comme l'enlèvement de personnes, l'inapplicabilité de lois étrangères contraires à l'ordre public français.

▬▬ Les obligations de l'État

Ces obligations sont la contrepartie de la souveraineté territoriale que le droit international reconnaît à l'État. Parmi ces obligations conventionnelles, il y a :
– le respect des droits des ressortissants étrangers (respecter un standard minimum de civilisation, comme l'accès aux tribunaux de l'État d'accueil) ;
– les droits à l'intégrité et à l'inviolabilité des États étrangers (exemples : bannir tout acte portant atteinte à la sécurité des États étrangers, d'où le problème du terrorisme international depuis la tragédie des Jeux Olympiques de Munich en 1972 ; ne pas tolérer d'actes inamicaux, notamment par voie de presse ou par le biais d'activités de réfugiés politiques) ;
– et l'observation des règles internationales relatives à la protection des droits de l'homme.

COMPÉTENCES DES PARLEMENTS DE LA CEE

États	Parlements et commissions	Prérogatives des commissions
Allemagne	*Bundestag* Commission des affaires européennes (1991)	compétence générale en matière de politique communautaire
	Bundesrat Commission pour les affaires de la CEE (1957)	saisie pour avis par le gouvernement
Belgique	*Chambre des représentants* Comité d'avis des questions européennes (1985)	consultation pour avis
	Sénat Comité d'avis des questions européennes (1990)	élaboration d'un rapport annuel
Danemark	*Folketing* Commission CEE (1972)	consultation obligatoire par le gouvernement
Espagne	*Chambre des députés et Sénat* Commission mixte pour les communautés européennes (1985)	examen des décrets législatifs
France	*Assemblée nationale* Délégation pour les communautés européennes (1979)	consultations et auditions permanentes et rédactions de rapports
	Sénat Commission des affaires européennes (1985)	
Grèce	*Chambre des députés* Commission des affaires européennes (1990)	simples avis
Irlande	*Chambre et Sénat réunis* Commission mixte en matière de droit européen (1973)	recommandations
	Chambre des députés Commission spéciale pour les politiques communautaires (1990)	formulation d'avis sur les règles communautaires
Italie	*Sénat* Commission pour les affaires communautaires (1968)	débat d'idées formulation d'avis
Luxembourg	*Chambre des députés* Commission des affaires étrangères (1989)	enquêtes et rapports
Pays-Bas	*Première Chambre sénatoriale* Commission permanente pour les organismes de coopération européenne (1970)	avis, débats et coordination entre le ministre des Affaires étrangères et autres commissions
	Chambre des députés Commission permanente des affaires européennes (1986)	
Portugal	*Assemblée de la République* Commission des affaires étrangères (1987)	avis et rapport annuel
Royaume-Uni	*Chambre des communes* Commission de la législation européenne (1974)	avis sur les textes européens
	Chambre des lords Commission spécialisée dans les affaires communautaires (1974)	examen systématique des projets CEE

SOURCES

INSTITUTIONS

PERSONNES

DOMAINE PUBLIC

ÉCONOMIE

CONFLITS

La responsabilité de l'État

Au XIXᵉ siècle, la responsabilité internationale est consacrée par des textes internationaux. Il s'agit de l'étude des règles régissant toute action d'un sujet de droit à l'encontre d'un autre sujet.

■■■■ Les éléments de sa mise en jeu

☐ La mise en jeu de la responsabilité internationale suppose l'existence de plusieurs éléments, d'abord un fait ou un acte dont un sujet de droit international est responsable (exemple : une violation territoriale). Il faut également un fait atteignant ce sujet de droit : il s'agit là de tout manquement direct ou indirect aux droits d'un État, d'une organisation internationale ou même d'un individu. Dans ce dernier cas, l'État prend fait et cause pour son national et pose réclamation à sa place, comme ce fut le cas dans l'affaire de la *Barcelona Traction* en 1960 opposant la Belgique à l'Espagne. La *Barcelona Traction* – la plus importante entreprise d'électricité espagnole – fut mise en faillite. Tous les biens furent saisis et la majorité des actionnaires, qui étaient de nationalité belge, furent destitués. Le gouvernement belge, estimant que les droits de ses ressortissants n'étaient pas respectés, saisit alors la Cour internationale de justice.

☐ Elle suppose ensuite une violation d'une règle de droit international qui doit être illicite, c'est-à-dire non couverte par une exception établie par le droit international (la force majeure, les représailles régulières ou la légitime défense).

☐ Enfin, il faut qu'il y ait l'existence d'un dommage, le préjudice pouvant être matériel (l'atteinte aux biens d'un État) ou moral (l'offense à un agent diplomatique).

■■■■ Les conséquences

☐ Le principe de la réparation est consacré par la jurisprudence internationale : par exemple, l'affaire du Détroit de Corfou en 1949, opposant le Royaume-Uni à l'Albanie à propos du déminage effectué par la *Royal Navy* dans les eaux territoriales albanaises.

☐ Il existe deux types de réparation. La réparation matérielle prend la forme d'une prestation : soit la remise des choses en l'état, soit le versement d'une indemnité en argent. La réparation du dommage moral, que l'on appelle la « satisfaction », s'exprime de différentes façons : les excuses ou la constatation solennelle de l'infraction par un arbitre, comme dans l'affaire du *Rainbow Warrior* en 1986.

■■■■ Nouvelles formules de réparation

Depuis 1945 s'affirment des procédures non contentieuses de réparation. La réparation à titre gracieux pour activités licites mais dangereuses se développe. Ce fut le cas, en 1954, dans l'affaire des pêcheurs nippons du *Fukuryu Maru* qui avaient été irradiés par des essais nucléaires américains au-dessus de l'atoll de Bikini et furent indemnisés. La réparation négociée comme le règlement amiable illustrent la notion de concertation internationale.

UN EXEMPLE DE RESPONSABILITÉ INTERNATIONALE

■ Le contexte

Depuis que la France effectue des expériences nucléaires à Mururoa, les États du continent océanique, Australie et Nouvelle-Zélande en tête, ont sans relâche dénoncé de tels agissements au nom des préoccupations écologiques majeures (dangers virtuels ou supposés pour l'homme, pour la faune et la flore). Cette prise de position politique déterminée n'a pas entamé la volonté française de poursuivre ses expériences.

C'est dans ce contexte assez lourd que prend place ce qui allait devenir l'affaire du *Rainbow Warrior*. Durant l'été 1985, des membres du puissant mouvement écologique Greenpeace s'embarquent à bord du navire britannique, le *Rainbow Warrior*, dont Greenpeace est propriétaire, pour manifester contre les expériences françaises à Mururoa.

Ce navire, mouillant à Auckland, en Nouvelle-Zélande, est coulé par les services secrets français de la DGSE. L'affaire aurait pu en rester là. Mais l'accident devient vite un drame lorsqu'on apprend qu'un photographe néerlandais est mort dans l'explosion alors qu'il était à bord. Les coupables sont arrêtés. Il s'agit de deux officiers français (« les faux époux Turenge »), qui sont condamnés à 10 ans d'emprisonnement pour homicide involontaire.

■ De la politique au règlement juridique

Les événements vont dès lors se précipiter. D'anecdotique, l'affaire se déplace sur la scène politique. Une véritable tempête politique se lève en France et le ministre de la Défense, Charles Hernu, doit remettre sa démission.

Sur un plan international, il y a là incontestablement matière à responsabilité. D'ailleurs, le gouvernement français indemnise à l'amiable et promptement la famille de la victime (plus de 2 millions de francs). Un contentieux politico-juridique est amorcé, car il y a violation du territoire d'un État indépendant et souverain par un autre État.

Le secrétaire général des Nations unies, M. Perez de Cuellar, assure un arbitrage entre la France et la Nouvelle-Zélande. Un an après les faits, un accord a lieu le 9 juillet 1986, concrétisé par un échange de lettres entre les parties. Le gouvernement français adresse une lettre d'excuse officielle et consent une indemnité de 7 millions de dollars à la Nouvelle-Zélande. En échange, le gouvernement de Wellington accepte que les faux époux Turenge soient, après un an de détention, transférés pour trois années, sur une base française du Pacifique.

Paris rapatrie, pour raison de santé, les deux officiers en janvier 1988, sans en référer à la Nouvelle-Zélande et donc en violation du compromis de 1986 qui prévoyait un arbitrage en cas de désaccord. Saisi par Wellington, le secrétaire général des Nations unies rend une sentence arbitrale le 30 avril 1990. Elle déclare Paris responsable de ne pas avoir observé ses engagements, mais estime que la réparation déjà fournie par la France est suffisante.

SOURCES
INSTITUTIONS
PERSONNES
DOMAINE PUBLIC
ÉCONOMIE
CONFLITS

Les agents diplomatiques

Organe essentiel des relations internationales, les agents diplomatiques tirent leur origine du congrès de Vienne de 1815 – qui a réglé la question des préséances entre diplomates – et de la convention de Vienne du 18 avril 1961 dont le texte est entré en vigueur en avril 1964.

■■■■ Rôle des agents diplomatiques

Intermédiaire, représentant et observateur de l'État d'envoi, l'agent diplomatique représente son État, dont il est le fonctionnaire, auprès de l'État de résidence. Il protège les intérêts de l'État accréditant et de ses ressortissants. Il négocie avec l'État accréditaire et informe son gouvernement des conditions et de l'évolution des événements se déroulant dans l'État accréditaire. En dernier lieu, le diplomate développe des relations « amicales » sur les plans économique, culturel et scientifique.

■■■■ Situation juridique des agents diplomatiques

□ L'agent diplomatique est nommé en trois temps. Il reçoit d'abord l'agrément de l'État d'accueil. Ensuite, l'État d'envoi le nomme et lui remet ses lettres de créance. L'agent diplomatique est alors accrédité auprès de l'État où il va officier.
□ L'agent diplomatique peut être déclaré « indésirable » (*persona non grata*) par l'État de résidence qui demande alors son rappel ou, s'il y a urgence, son expulsion.
□ Une mission diplomatique est parfois conduite à exercer des fonctions exceptionnelles comme la protection des intérêts d'une puissance tierce, notamment en cas de rupture des relations diplomatiques entre celle-ci et l'État accréditaire.

■■■■ Les immunités diplomatiques

L'agent diplomatique est censé ne pas avoir quitté son pays (c'est la fiction juridique d'« exterritorialité »), l'ambassade étant perçue comme territoire de l'État accréditant. Les immunités diplomatiques sont consenties par l'État de résidence pour permettre aux agents diplomatiques d'exercer leurs missions. Elles sont au nombre de quatre :
– la liberté de communication, d'où l'envoi libre d'informations et la réception sans entraves d'instructions (notion de « valise diplomatique ») ;
– l'inviolabilité de l'agent diplomatique qui ne peut ainsi être molesté ou arrêté, immunité assez peu respectée ces dernières années avec la multiplication des prises d'otages ; cette inviolabilité concerne aussi les domiciles privés (ici est posé le problème plus large du droit d'asile dans les locaux de l'ambassade) ;
– l'immunité juridictionnelle qui permet à un agent diplomatique, pour tous les actes accomplis, de ne pas être poursuivi devant une juridiction civile ou pénale de l'État-hôte ;
– enfin, l'exemption du paiement de l'impôt, qu'il soit direct ou indirect dont bénéficie l'agent diplomatique ; il s'agit là d'un privilège fiscal.

LETTRES DE CRÉANCE D'UN AMBASSADEUR

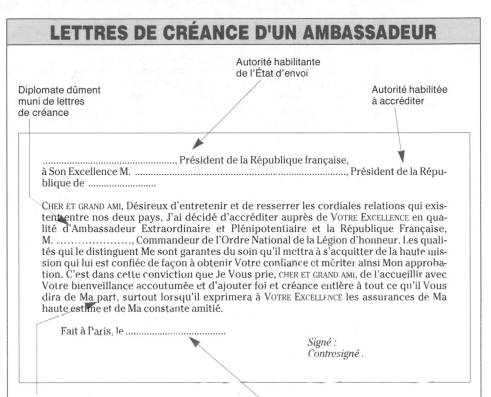

Diplomate dûment
muni de lettres
de créance

Autorité habilitante
de l'État d'envoi

Autorité habilitée
à accréditer

...., Président de la République française,
à Son Excellence M. ...., Président de la République de ....

CHER ET GRAND AMI, Désireux d'entretenir et de resserrer les cordiales relations qui existent entre nos deux pays, J'ai décidé d'accréditer auprès de VOTRE EXCELLENCE en qualité d'Ambassadeur Extraordinaire et Plénipotentiaire et la République Française, M. ...., Commandeur de l'Ordre National de la Légion d'honneur. Les qualités qui le distinguent Me sont garantes du soin qu'il mettra à s'acquitter de la haute mission qui lui est confiée de façon à obtenir Votre confiance et mériter ainsi Mon approbation. C'est dans cette conviction que Je Vous prie, CHER ET GRAND AMI, de l'accueillir avec Votre bienveillance accoutumée et d'ajouter foi et créance entière à tout ce qu'il Vous dira de Ma part, surtout lorsqu'il exprimera à VOTRE EXCELLENCE les assurances de Ma haute estime et de Ma constante amitié.

Fait à Paris, le ....

Signé :
Contresigné .

Agrément de l'État
de résidence

Date de nomination
du diplomate

■ Historique

Le statut et les règles organisant la nomination, la présence et la protection des diplomates proviennent de pratiques coutumières multi-séculaires. Il faut attendre l'année 1815 pour que le congrès de Vienne adopte un règlement visant à déterminer le rang des agents diplomatiques, leurs prérogatives, la procédure de désignation et les règles complexes des préséances.

■ À quoi servent les lettres de créance ?

Les lettres de créance sont le document solennel qui finalise la nomination d'un agent diplomatique, à commencer bien évidemment par l'ambassadeur, chef de la délégation. En outre, les lettres de créance attestent des qualités humaines et professionnelles du diplomate et donnent l'assurance qu'il mènera à bien sa haute mission de représentant mandaté d'un État.

Le terme « lettres de créance » est toujours utilisé au pluriel, car ce document est obligatoirement rédigé en deux exemplaires originaux.

■ Leur importance

Aucun autre document ne peut se substituer à la nomination d'État à État concrétisée par les lettres de créance. Document au contenu simple, les lettres de créance sont l'étape ultime et indispensable à l'entrée en fonction dans l'État de résidence d'un diplomate.

SOURCES
INSTITUTIONS
PERSONNES
DOMAINE PUBLIC
ÉCONOMIE
CONFLITS

Les agents consulaires

Les relations consulaires entre États ont été codifiées par la convention de Vienne du 24 avril 1963. L'établissement de ces relations repose sur le consentement des États : l'État d'envoi nomme l'agent consulaire et lui fournit des *lettres de provision,* puis l'État de résidence autorise l'agent à exercer ses fonctions.

Rôle des agents consulaires

Chaque agent consulaire remplit ses fonctions dans une circonscription, c'est-à-dire dans un cadre géographique délimité à l'intérieur de l'État de résidence. Les agents consulaires ont pour mission :
– de défendre les intérêts économiques de l'État représenté et ceux de leurs ressortissants ;
– de protéger et assister les ressortissants de l'État d'envoi devant les institutions de l'État de résidence, par exemple devant les tribunaux ;
– de développer les relations économiques et culturelles entre l'État d'envoi et l'État d'accueil et d'exercer certaines compétences ; par exemple : dresser des actes notariés (contrats de mariage, etc.), établir des actes d'état civil ou délivrer des documents (permis de conduire, visas, passeports, etc.) ;
– de contrôler et d'assister les navires battant pavillon de l'État d'envoi.

Immunités des agents consulaires

☐ Les agents consulaires bénéficient d'immunités limitées à la protection de leur fonction. On distingue d'une part les immunités relatives au poste consulaire, comme l'inviolabilité des locaux du consulat, des archives et l'usage de la valise consulaire ou du code consulaire et, d'autre part, les immunités personnelles rattachées à l'agent.
☐ L'agent consulaire bénéficie d'un devoir de protection de son État d'envoi et peut lui notifier toutes les arrestations éventuelles et les interrogatoires qu'il a pu subir. Il jouit d'exemptions fiscales et d'immunités de juridiction limitées aux actes liés à sa charge.
☐ L'agent consulaire est rappelé par l'État d'envoi et l'État de résidence peut demander son rappel en le déclarant *persona non grata.*

Différences entre agents diplomatiques et agents consulaires

☐ Bien que signées à Vienne, les deux conventions font l'objet de textes internationaux distincts (53 articles pour les agents diplomatiques et 79 pour les agents consulaires). Les missions sont distinctes et l'agent consulaire, contrairement à l'agent diplomatique, ne représente pas politiquement l'État d'envoi.
☐ Les relations consulaires sont plus limitées ; s'il y a, dans l'État de résidence, plusieurs consulats, il n'y a qu'une seule ambassade.
Le champ des immunités conférées aux agents consulaires est moins vaste que celui accordé aux agents diplomatiques. Enfin, en cas de guerre, la rupture des relations diplomatiques n'entraîne pas celle des relations consulaires.

AMBASSADEUR ET CONSUL
FACE À UN ÉVÉNEMENT

■ Plusieurs cas de figure

Hormis leurs missions habituelles de représentation et d'information de l'État d'envoi, de nombreuses situations peuvent déclencher l'intervention immédiate d'un diplomate (ambassadeur ou consul) : la perte ou le vol de papiers d'identité, l'arrestation précipitée d'un ressortissant et son emprisonnement (exemples : en Turquie, en Thaïlande) ; un conflit commercial ou d'intérêts entre ressortissants et entreprises locales (exemple : la fermeture du consulat de France à Canton, en Chine, en décembre 1992, après la vente par Paris de 60 Mirage 2000-5 à Taïwan) ou bien une déclaration de guerre. L'assistance du diplomate est, pour le ressortissant quelque peu désemparé, l'ultime et le plus sérieux recours.

■ Que peuvent concrètement faire les diplomates sollicités ?

Le consul

Le particulier en difficulté doit d'abord parvenir sans délai à informer par tous les moyens les agents consulaires. Lorsqu'il s'agit de problèmes de nature individuelle (pertes, vols, accidents de voiture, gardes à vue dans un bureau de police, arrestation à la frontière d'un État) ou quand des intérêts économiques et commerciaux des ressortissants sont en jeu ou encore en cas de catastrophes naturelles (inondations, tremblements de terre), le consulat a pour mission d'intervenir.

Cette intervention s'effectue auprès de l'intéressé pour le réconforter et lui donner l'assurance que des démarches officielles diligentées vont être entreprises pour régler à bien le litige (exemples : nomination d'un avocat, obtention d'une libération négociée, etc.).

Ensuite, les agents consulaires rendent compte et avertissent les autorités d'envoi, dont ils appliqueront les recommandations. Le consul peut faire appel aux médias s'il s'agit de cas graves nécessitant une certaine publicité (comme une arrestation arbitraire).

L'ambassadeur

Le diplomate est davantage cantonné dans une mission politique, relationnelle d'État souverain, dont il est le représentant, à État souverain. En fonction de variables telles que l'instabilité politique de l'État d'accueil, la personnalité du diplomate et son rang, un ambassadeur est souvent conduit à protéger les intérêts de ses ressortissants, notamment en faisant des pressions nuancées sur les pouvoirs publics de l'État de résidence pour l'amener à infléchir ses positions.

■ Des rôles proches

Des agents diplomatiques et consulaires remplissent souvent les mêmes missions. Ainsi, certains pays, notamment ceux d'Afrique, n'ont pas, dans un État déterminé, de consulat ou d'ambassade. Ils peuvent donc bénéficier, au terme d'accords réciproques trilatéraux (pays d'envoi, pays déjà représenté sur place et pays d'accueil), des locaux consulaires ou diplomatiques de l'État dont les diplomates ont déjà été accrédités.

SOURCES
INSTITUTIONS
PERSONNES
DOMAINE PUBLIC
ÉCONOMIE
CONFLITS

La reconnaissance d'États

L'évolution des relations internationales oblige les États à prendre position, par des actes unilatéraux de reconnaissance, sur l'évolution de la situation d'autres États. Il y a plusieurs cas de reconnaissances dont les modalités divergent selon les situations envisagées.

■■■■■ Modalités juridiques de la reconnaissance

□ La reconnaissance est l'acte par lequel un État manifeste l'intention de considérer tel groupement humain comme un État au sens du droit international. Acte discrétionnaire, la reconnaissance peut être refusée, assortie de conditions, accordée *de facto* (de fait) ou *de jure* (de droit). En pratique, la reconnaissance d'un gouvernement se fait *de facto*. Puis, lorsque que le gouvernement répond de façon stable et définitive aux critères juridiques d'un État, la reconnaissance se fera *de jure* (exemple : la reconnaissance de l'URSS en 1924 par la Grande-Bretagne ou l'Italie).
□ Enfin, la reconnaissance est parfois indirecte. Ainsi, le gouvernement français a reconnu le gouvernement de Pékin au terme d'un communiqué commun du 27 janvier 1964 précisant que les deux gouvernements avaient décidé d'établir des relations diplomatiques avec échange simultané d'ambassadeurs dans un délai de trois mois.

■■■■■ La naissance d'un nouvel État

Le cas le plus fréquent est la reconnaissance consécutive à un démembrement d'États existants. Ce démembrement a lieu à l'issue d'une guerre (la Tchécoslovaquie en 1919), d'une décolonisation (la plupart des territoires du continent africain, à la fin des années cinquante) ou d'une partition (de nouveau la Tchécoslovaquie le 1er janvier 1993) ou encore d'un mouvement séparatiste (le Bangladesh en 1971). La reconnaissance permet alors de normaliser les relations d'État à État.

■■■■■ Le changement révolutionnaire

L'acte de reconnaissance d'un gouvernement s'effectue également lors d'un changement révolutionnaire, par exemple un coup d'État ou une guerre civile, mettant un terme à l'ordre constitutionnel en vigueur jusque-là (le gouvernement communiste chinois en 1949).

■■■■■ Les autres formes très proches de l'acte de reconnaissance

□ La reconnaissance de belligérance ou d'insurgés constitue la reconnaissance d'un gouvernement rebelle (le gouvernement républicain espagnol en 1936-1939).
□ La reconnaissance d'entités politiques, c'est la reconnaissance d'un mouvement de libération, par exemple la Swapo, avant l'indépendance de la Namibie.
□ La reconnaissance d'une situation juridique, c'est la reconnaissance d'un acte unilatéral, comme l'extension par un État de la largeur de sa mer territoriale.

LA NAISSANCE DE DEUX ÉTATS : LA PARTITION DE LA TCHÉCOSLOVAQUIE

■ Rappel historique

Après le traité de Versailles, le 28 octobre 1918, la République tchécoslovaque est proclamée à Prague. La conférence de Munich de 1938 livre à Hitler le pays des Sudètes, où vit la minorité allemande de Bohême (3,5 millions de personnes).

Grâce à l'insurrection de Prague, en mai 1945, la Tchécoslovaquie est libérée par les Soviétiques et les Américains. En février 1948, les communistes s'emparent du pouvoir : c'est le « coup de Prague ». Le Printemps de Prague (1968), emmené par Alexandre Dubcek, est réprimé par les chars de l'Armée rouge. « Normalisé », l'État tchèque comme tous les pays de l'Est bénéficie en 1991 de l'effondrement de l'URSS.

La « révolution de velours » de novembre 1989 ouvre une nouvelle étape. Les Slovaques rejettent le paternalisme tchèque, incarné selon eux par le président Vaclav Havel et les réformes économiques libérales (la Slovaquie est quatre fois plus touchée par le chômage que la République tchèque).

■ La partition et les suites du divorce à l'amiable

Dans la nuit du 31 décembre 1992, la République de Tchécoslovaquie cesse d'exister. Depuis quelques années, de nombreuses voix se faisaient entendre dans la partie slovaque du pays. Leader incontesté du mouvement séparatiste, Vladimir Meciar pousse à la partition en faisant valoir que durant mille ans les deux pays étaient séparés et que la fédération de 1918 n'était qu'un mariage de raison.

Sur le plan international, la situation reste inchangée, les deux États sont reconnus par la communauté internationale. La question en suspens concerne le sort des minorités influentes (exemple : les Hongrois) dans les deux nouveaux États face aux velléités nationalistes, notamment slovaques, et à une situation économique grave. Le déséquilibre économique est manifeste : commerce extérieur (80 % République tchèque, 20 % République slovaque), investissements étrangers (87 % République tchèque, 13 % République slovaque).

■ La carte des nouveaux États

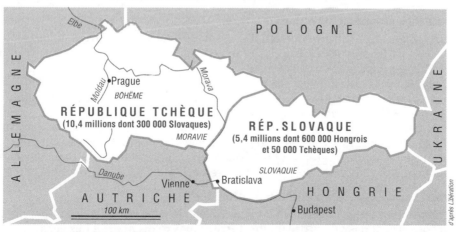

d'après Libération

SOURCES
INSTITUTIONS
PERSONNES
DOMAINE PUBLIC
ÉCONOMIE
CONFLITS

Les États à souveraineté limitée

Les États unitaires peuvent être très différents. Leur souveraineté est limitée soit par un texte, soit par leur configuration géographique. Ce dernier cas concerne les micro-États.

▬▬ Les États neutres

Ils sont tenus de rester à l'écart de tout conflit. En cas de conflit, l'État reconnu neutre ne peut ni y prendre part, ni chercher à favoriser un belligérant (exemple : la Suisse). L'étendue de cette reconnaissance internationale de neutralité dépend de l'aptitude de l'État neutre à défendre son indépendance.

▬▬ Les protectorats

Issu de la colonisation, le protectorat est une institution par laquelle une puissance économique et militaire obtient d'un État le droit d'exercer certaines de ses compétences. L'État protecteur représente l'État protégé dans ses relations internationales et assure sa défense, alors que l'État protégé conserve sa nationalité propre et ses compétences internes. La disparition des protectorats s'est effectuée par l'adoption de traités retransférant à l'État protégé les compétences internes et externes.

▬▬ Les États multinationaux

☐ Ils sont formés de communautés de race, de langue ou de religion diverses. En matière de droits de l'homme, l'ONU cherche à résoudre certains conflits internes et à améliorer le sort des minorités (les Tamouls au Sri Lanka ou les Kurdes).
☐ Par ailleurs, le droit international condamne toute domination d'une communauté sur une autre race (exemple : la convention de 1965 sur l'élimination raciale, condamnant notamment la politique d'apartheid en Afrique du Sud).

▬▬ Les groupements d'États

La principale forme de groupement d'États est le fédéralisme qui est un processus associant de façon structurelle des États. Il s'agit de renforcer la solidarité et de préserver certains particularismes. Le fédéralisme prend deux formes :
– la confédération d'États est un groupement d'États dont les liens confédéraux sont faibles. La répartition des compétences est favorable aux États membres (exemple : la Confédération germanique de 1815) ;
– l'État fédéral est très répandu : ce système résulte d'un acte interne constitutionnel (exemple : les États-Unis en 1787). Le partage des compétences est précis : les relations internationales relèvent de l'État fédéral, alors que sur un plan interne les États membres disposent d'un domaine réservé.

▬▬ Les territoires à statut international

Ces territoires ne sont pas des États car un élément physique leur fait défaut. Ils n'en constituent pas moins des entités territoriales relevant droit des gens.

ÉTATS UNITAIRES
À STATUT PARTICULIER

Types d'États	Statut juridique	Exemples
États exigus ou micro-États	Cosuzeraineté	Andorre (président de la République française et l'évêque espagnol d'Urgel)
	Territoire minuscule, insulaire ou enclavé	Nauru (21 km²), îles Fidji, Liechtenstein
États à statut conventionnel	État neutre	Autriche (traité d'État du 15/05/1955)
	État neutralisé ou démilitarisé	Rhénanie en 1919
	État dénucléarisé	Traité sur l'Antarctique du 1/12/1959 – traité de Rarotonga sur le Pacifique Sud du 6/08/1986
	État protégé	Maroc (disparition du protectorat par convention du 2/03/1956)
	État multinational : protection des minorités	Chypre (Grecs et Turcs), Yougoslavie (minorité albanaise dans la province du Kossovo)
Groupements d'États	Confédération d'États	Confédération helvétique jusqu'en 1848
	État fédéral	Suisse à partir de 1848/États-Unis en 1787/RFA en 1949/Belgique le 14 juillet 1993 (accords de la Saint-Michel)
	Union personnelle (communauté de chefs d'États)	Union de l'Angleterre et du Hanovre de 1714 à 1837
	Union réelle entre 2 États	Autriche-Hongrie de 1867 à 1918
	Commonwealth (coopération entre États indépendants)	10 États égaux en droit (1931)

La Cité du Vatican

■ Le Saint-Siège a d'abord bénéficié d'un statut octroyé par le gouvernement italien en 1871, puis a négocié un statut au cours d'accords conclus le 11 février 1929 avec l'Italie (accords du Latran). Toujours en vigueur et confirmé par la Constitution italienne, cet accord bilatéral accorde certaines prérogatives internationales au Saint-Siège comme la représentation diplomatique (le droit de légation), la conclusion de traités (concordats), mais aussi l'obligation de respecter une neutralité perpétuelle.

■ La Cité du Vatican est un État, bien que n'en ayant pas tous les attributs pour les raisons suivantes :
– un territoire minuscule (44 ha), enclavé, correspondant à une propriété privée ;
– une population inférieure à 1 000 habitants ;
– un pouvoir politique qui ne s'exerce pas. Le plus souvent, la Cité emprunte même les services publics italiens : l'auteur de l'attentat du 13 mai 1981 contre le pape Jean-Paul II a été jugé par les tribunaux italiens.

SOURCES

INSTITUTIONS

PERSONNES

DOMAINE PUBLIC

ÉCONOMIE

CONFLITS

Les organisations internationales (1)

Les organisations internationales (OI) sont des associations d'États dont le but est la poursuite d'intérêts communs, qui ont une personnalité juridique et sont sujets du droit international.

▬▬ Leur statut

□ L'OI repose sur un texte, appelé « charte constitutive ». Il s'agit d'un document écrit qui délimite les compétences de l'organisation. Cette charte fixe un siège, arrête les objectifs fondamentaux et crée les organes nécessaires à la vie de l'institution, c'est-à-dire une assemblée délibérative regroupant tous les États membres et un secrétariat qui constitue l'exécutif de l'organisation.

□ Les organisations internationales sont composées d'États souverains. La question la plus délicate que doit traiter toute OI est la disparité géographique, démographique, politique et économique de ses États membres. En effet, doit-on accorder les mêmes droits de vote à tous ces États au nom du principe de stricte égalité juridique ou au contraire reconnaître une préséance aux États influents et riches ? En pratique, les deux formules sont appliquées : à l'Assemblée générale des Nations unies les résolutions sont adoptées selon le principe égalitaire — « un État/une voix » — alors qu'au Fonds monétaire international, plus l'État est développé, plus il a de voix.

▬▬ Une classification

Il existe de nombreuses catégories d'organisations internationales. Le domaine d'application permet de faire certaines distinctions dont la plus pertinente est la distinction organisation à vocation universelle-organisation régionale.

Catégories d'OI	Domaine d'application	Exemples
1 – selon la vocation	– universelle (ouverte à tout membre) – régionale (solidarités géographique ou politique)	– l'ONU – l'OCDE
2 – selon le domaine d'activité	– militaire – technique	– l'OTAN – toutes les institutions spécialisées de l'ONU (OIT, OMS, UNESCO…)
3 – selon les fonctions exercées	– la concertation, l'harmonisation de points de vue – la gestion commune – la règlementation (fourniture de prestations)	– le Conseil de l'Europe – la BIRD – la Commission centrale du Rhin
4 – selon les pouvoirs détenus	– simple coopération – supranationale (transfert de compétences des États membres à l'OI)	– l'Agence internationale de l'énergie – à terme, la CEE

40

LES ORGANISATIONS UNIVERSELLES

De 1815 à 1914, l'unification technico-économique de la terre : des normes communes pour l'échange

9 juin 1815 : Acte final du congrès de Vienne. Consécration de la liberté de navigation pour les fleuves internationaux. Commission centrale pour le Rhin, mise en place par la convention de Mayence (1831).

30 mars 1856 : Convention sur le Danube, également doté d'une commission internationale.

17 mai 1865 : Union télégraphique internationale (UIT), institution spécialisée de l'ONU depuis 1947.

1875 : Bureau international des poids et mesures.

1878 : Union postale universelle (UPU), institution spécialisée de l'ONU depuis 1947.

20 mars 1883 : Union pour la protection de la propriété industrielle.

9 septembre 1886 : Union pour la protection des œuvres littéraires et artistiques.

1890 : Union sur les chemins de fer.

1906 : Union radiotélégraphique internationale.

La quête de la paix (1919)

28 juin 1919 : Société des Nations (SDN) et Organisation internationale du travail (OIT), créées par le traité de Versailles (OIT, institution spécialisée depuis 1946).

Les lendemains de la Seconde Guerre mondiale : vers un ordre international global (1944-1956)

22 juillet 1944 : Accords de Bretton Woods, créant le Fonds monétaire international (FMI) et la Banque internationale pour la reconstruction et le développement (BIRD), tous deux institutions spécialisées.

7 décembre 1944 : Convention de Chicago, créant l'Organisation de l'aviation civile internationale (OACI), institution spécialisée.

26 juin 1945 : Charte des Nations unies (ONU).

16 octobre 1945 : Organisation pour l'alimentation et l'agriculture (OAA ou FAO : *Food and Agriculture Organization*), institution spécialisée.

16 novembre 1945 : Organisation des Nations unies pour l'éducation, la science et la culture (UNESCO), institution spécialisée.

22 juillet 1946 : Organisation mondiale de la santé (OMS), institution spécialisée.

11 octobre 1947 : Organisation météorologique mondiale (OMM), institution spécialisée.

30 octobre 1947 : Accord général sur les tarifs douaniers et le commerce (GATT), en raison de la non-ratification, notamment par les États-Unis, de la charte de La Havane (24 mars 1948) devant créer une Organisation internationale du commerce (OIC).

6 mars 1948 : Organisation intergouvernementale consultative de la navigation maritime (OMCI), institution spécialisée. Depuis 1975, Organisation maritime internationale (OMI).

26 octobre 1956 : Agence internationale de l'énergie atomique (AIEA).

La vague tiers-mondiste et son enlisement

30 décembre 1964 : Conférence des Nations unies pour le commerce et le développement (CNUCED), organe subsidiaire de l'Assemblée générale des Nations unies.

17 novembre 1966 : Organisation des Nations unies pour le développement industriel (ONUDI), organe subsidiaire devenu, en 1976, institution spécialisée.

10 septembre 1970 : Organisation mondiale du tourisme (OMT).

16 juin 1972 : Programme des Nations unies pour l'environnement.

20 décembre 1976 : Fonds international de développement agricole.

1er octobre 1980 : Fonds commun chargé de financer les stocks régulateurs, produits de base. En 1987, le nombre nécessaire des ratifications est réuni : en principe le Fonds peut fonctionner mais il reste en sommeil du fait de l'absence d'accords de stabilisation des matières premières.

10 décembre 1982 : Convention de Montego-Bay sur le droit de la mer, prévoyant une Autorité internationale des fonds marins. Cette convention n'est pas en vigueur.

L'environnement (1992)

1-12 juin 1992 : Rio de Janeiro : Conférence des Nations unies sur l'environnement et le développement, pour le 20e anniversaire du Programme pour l'environnement.

Ramsès 1993, Dunod

41

SOURCES

INSTITUTIONS

PERSONNES

DOMAINE PUBLIC

ÉCONOMIE

CONFLITS

Les organisations internationales (2)

Toute organisation internationale a la personnalité juridique, des droits et des obligations. Un règlement intérieur régit son activité. Une structure et des compétences régissent sa vie interne.

Leur fonctionnement

La structure de toute organisation internationale est fondée sur la distinction fondamentale suivante : des États membres et des agents internationaux.

– Les États membres agissent par le biais de représentants, personnes physiques. Les États non-membres ou d'autres organisations internationales peuvent y être représentés par des délégués ayant le statut d'observateurs. Le statut des représentants des États est proche de celui des agents diplomatiques.

– Les agents internationaux désignent, selon la Cour internationale de justice (CIJ), « toute personne par qui l'organisation agit » (avis consultatif dans l'affaire des dommages subis au service des Nations unies, 1949). Il s'agit de fonctionnaires internationaux recrutés par voie de concours ou sur titre. Leur statut fait d'eux des agents au service exclusif et permanent d'une organisation internationale et non pas d'un État. Parmi les droits et devoirs de ces agents, la protection fonctionnelle pour les actes entrant dans leurs prérogatives statutaires est la mieux organisée.

Leurs compétences

Les organisations internationales exercent des compétences fondées sur un texte. Très nombreuses, ces compétences peuvent être regroupées en deux catégories. Des compétences « législatives » lorsque l'organisation élabore des conventions internationales (exemple : les conventions du travail de l'OIT) ou lors de l'adoption de recommandations ou résolutions. Des compétences « de contrôle » dans divers domaines (exemple : le contrôle politique par le Conseil de sécurité de l'ONU) et aux modalités complexes (exemples : l'examen de la politique d'apartheid en Afrique du Sud ou le contrôle juridictionnel de la CIJ). Certaines organisations internationales ont un droit de décision (exemple : l'adoption de règlements communautaires de la CEE).

Leurs relations extérieures

Les organisations internationales entretiennent de nombreuses et étroites relations avec d'autres organisations intergouvernementales, notamment par le canal des consultations réciproques, celui des échanges d'informations ou encore l'envoi d'observateurs. Avec les organisations non gouvernementales, les organisations internationales entretiennent des rapports reposant sur des consultations et des échanges d'idées.

L'UNESCO

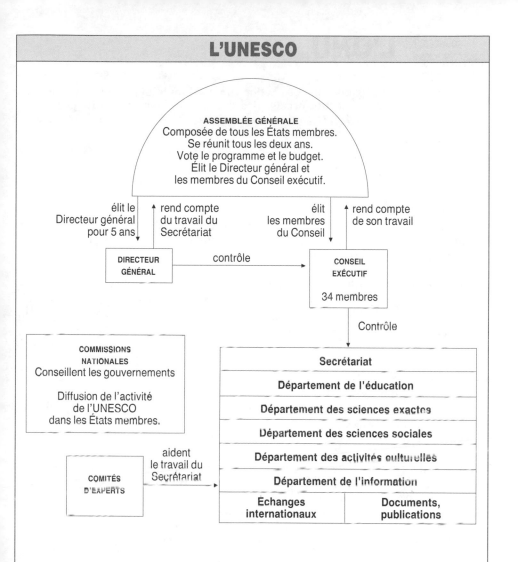

- Sigle : UNESCO (United Nations Educatio-
  nal, Scientific and Cultural Organization)
- Date de création : 1945
- Siège : place de Fontenoy à Paris
- Nombre d'États membres : 175
- Directeur général : Federico Mayor
  (Espagne)
- Budget : 400 millions de dollars
- Buts :
  - développer l'enseignement dans les pays
    en retard ;
  - multiplier les échanges culturels et
    scientifiques entre États ;

  - permettre une meilleure compréhension
    internationale (par exemple, propager les
    œuvres d'art ou préserver - restaurer les
    monuments classés patrimoine culturel
    de l'humanité).

Au début des années quatre-vingts,
l'UNESCO est accusée par les pays développés d'être une organisation internationale
politisée, c'est-à-dire trop proche des thèses
du tiers-monde. Aussi, en décembre 1984,
les États-Unis, suivis du Royaume-Uni en
1985, se retirent de l'organisation. Mais ces
deux États sont restés comme observateurs.

SOURCES

INSTITUTIONS

PERSONNES

DOMAINE PUBLIC

ÉCONOMIE

CONFLITS

L'ONU

L'Organisation des Nations unies, dont le siège est à New York, a des objectifs précis, des moyens et une structure pour les atteindre. Organisation politique, l'ONU est ouverte à tous les États.

▬▬▬ Naissance de l'ONU

Né de l'échec de la Société des Nations, le projet de charte d'une nouvelle organisation universelle est élaboré durant le second conflit mondial à Dumbarton Oaks en septembre-octobre 1944 et à Yalta en février 1945. Ce projet est adopté par la Conférence des Nations unies à San Francisco le 26 juin 1945.

▬▬▬ Buts de l'organisation mondiale

L'ONU assure le maintien de la paix, la protection des droits de l'homme, le développement économique et social, la promotion politique des peuples dépendants, le renforcement des liens entre États souverains. L'ONU comptait 51 membres en 1945, elle regroupe en 1993 183 États représentant 98,5 % de la population mondiale.

▬▬▬ Structure de l'ONU

L'ONU comprend trois organes principaux institués par la Charte.
– L'Assemblée générale n'émet que des recommandations. Elle est composée de tous les États membres et vote selon le principe: un État/une voix. Pour les questions importantes, l'Assemblée statue à la majorité des 2/3 des États présents et votants.
– Le Conseil de sécurité est un organe permanent de 15 membres. Cinq membres permanents sont désignés par la Charte et disposent d'un droit de veto permettant à l'un d'entre eux de bloquer le mécanisme de vote.
– Un secrétaire général nommé par l'Assemblée générale pour une durée de cinq ans renouvelable dont le rôle politique de plus haut fonctionnaire de l'organisation lui confère une mission dépassant le cadre de son mandat.

▬▬▬ Compétences et réalisations

Les programmes créés par l'ONU au cours des cinq dernières décennies (exemples : en 1946, le Fonds des Nations unies pour l'enfance, en 1951 le Haut-Commissariat des Nations unies pour les réfugiés) lui ont donné des compétences réelles vis-à-vis des problèmes internationaux. Malgré de graves difficultés financières dues à la création de forces d'interposition dans le monde depuis 1956 (les « casques bleus »), l'ONU est parvenue à jouer un grand rôle en matière de décolonisation et de respect des droits de l'homme. L'organisation assure le maintien de la paix (exemple : au Moyen-Orient en 1973) et autorise le recours à la force (exemple : résolution 678 du 29/11/1990 du Conseil de sécurité contre l'Irak). L'ONU peut également mettre un État sous tutelle provisoire (exemple : l'acte final de la conférence de pays sur le Cambodge signé à Paris le 24 octobre 1991).

L'ORGANISATION MONDIALE

■ Les organes décisionnels

■ Le secrétaire général

Depuis sa création, l'ONU a connu 6 secrétaires généraux :
- Trygve Lie (Norvège) 1946-1953 ;
- Dag Hammarskjöld (Suède) 1953-1961 ;
- U Thant (Birmanie) 1961-1971 ;
- Kurt Waldheim (Autriche) 1972-1982 ;
- Javier Pérez de Cuellar (Pérou) 1982-1992 ;
- Boutros Boutros-Ghali depuis 1992.

Outre des compétences personnelles étendues, le candidat à cette très haute fonction internationale doit recueillir, pour être élu, au moins 9 voix et aucun veto des 5 États membres permanents du Conseil de sécurité.

■ Le Conseil de sécurité

Organe essentiellement politique, le Conseil de sécurité pourrait à l'avenir s'élargir en accueillant d'autres États membres permanents, comme le Japon, l'Allemagne et également l'Inde (afin que les pays en développement puissent être représentés).

■ La délicate question de l'équilibre budgétaire

Tous les États membres de l'ONU souhaitent sa pérennité. Malheureusement, de nombreux États, y compris certains membres permanents du Conseil de sécurité, ne versent pas dans les délais impartis leur contribution financière. Au 1er septembre 1993, les arriérés de contributions s'élèvent à 2 milliards de dollars. Cette carence des États met gravement en péril les missions militaires et humanitaires entreprises par l'Organisation mondiale et hypothèque d'une certaine manière sa crédibilité internationale.

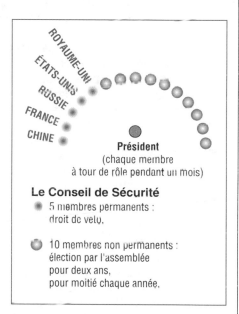

ROYAUME-UNI
ÉTATS-UNIS
RUSSIE
FRANCE
CHINE

Président
(chaque membre
à tour de rôle pendant un mois)

Le Conseil de Sécurité

● 5 membres permanents :
droit de veto.

● 10 membres non permanents :
élection par l'assemblée
pour deux ans,
pour moitié chaque année.

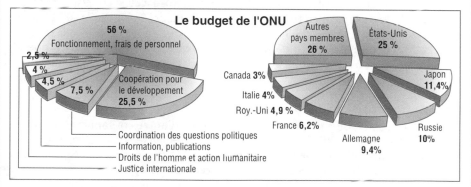

Le budget de l'ONU

56 %
Fonctionnement, frais de personnel

2,5 %
4 %
4,5 %
7,5 %
Coopération pour le développement
25,5 %

Coordination des questions politiques
Information, publications
Droits de l'homme et action humanitaire
Justice internationale

Autres pays membres
26 %

États-Unis
25 %

Canada 3%
Italie 4%
Roy.-Uni 4,9 %
France 6,2%

Japon
11,4%

Russie
10%

Allemagne
9,4%

SOURCES
INSTITUTIONS
PERSONNES
DOMAINE PUBLIC
ÉCONOMIE
CONFLITS

Les institutions spécialisées de l'ONU

Les organisations spécialisées existent dès le XIXe siècle. L'ONU a réorganisé en profondeur ces Unions administratives qui vont devenir de véritables organisations internationales.

Leur statut

□ Chaque institution spécialisée possède une structure à trois niveaux :
– une assemblée générale qui regroupe les États membres. Elle se réunit à intervalles réguliers, détermine la ligne d'action de l'organisation et vote le budget ;
– un organe exécutif qui fait des propositions et met en œuvre les décisions de l'assemblée;
– un secrétariat permanent ayant à sa tête un secrétaire ou directeur général.
□ L'ONU entretient des liens étroits avec les institutions spécialisées sous la forme d'informations réciproques (rapport, échange d'observateurs…). Par ailleurs, l'Assemblée générale examine annuellement le budget administratif des institutions spécialisées et le Conseil économique et social (Ecosoc) de l'ONU peut leur adresser des recommandations et coordonner leurs activités.

Leur rôle

Les activités des institutions spécialisées sont très vastes : elles couvrent l'ensemble de l'activité humaine. Ce caractère d'universalisme concerne les domaines suivants :
– l'action sociale, sanitaire et de protection de l'être humain (exemples : l'Organisation internationale du travail [création du BIT en 1919] et l'Organisation mondiale de la santé en 1946) ;
– le domaine des transports et des communications (exemples : l'Union télégraphique internationale, créée en 1865, l'Union postale universelle en 1874 et l'Organisation de l'aviation civile internationale, mise en fonction le 4 avril 1947) ;
– la coopération culturelle et scientifique (exemples : l'UNESCO, Organisation des Nations unies pour l'éducation, les sciences et la culture, créée en 1945, et l'Organisation mondiale de la propriété intellectuelle, OMPI, créée en 1967 par la Convention de Stockholm) ;
– les champs économique et financier (exemples : en 1944 le Fonds monétaire international, créé à l'issue de la Conférence de Bretton Woods et la Banque mondiale).

Autres organisations universelles

Depuis 1964, l'Assemblée générale de l'ONU a créé d'autres organisations internationales autonomes et distinctes des institutions spécialisées. Ces organismes sont définis comme des organes de l'Assemblée, telle, l'Organisation des Nations unies pour le développement industriel, l'ONUDI (résolution 2152 XXI du 22 novembre 1966).

ORGANIGRAMME DES NATIONS UNIES

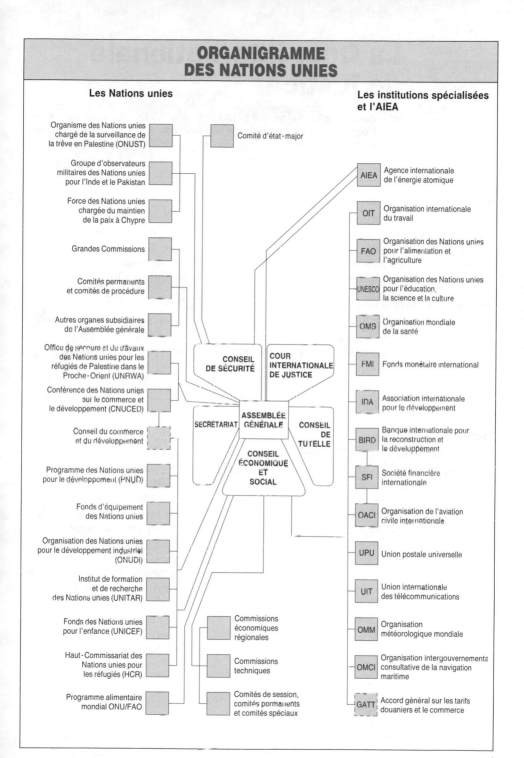

Les Nations unies

Organisme des Nations unies chargé de la surveillance de la trêve en Palestine (ONUST)

Groupe d'observateurs militaires des Nations unies pour l'Inde et le Pakistan

Force des Nations unies chargée du maintien de la paix à Chypre

Grandes Commissions

Comités permanents et comités de procédure

Autres organes subsidiaires de l'Assemblée générale

Office de secours et de travaux des Nations unies pour les réfugiés de Palestine dans le Proche-Orient (UNRWA)

Conférence des Nations unies sur le commerce et le développement (CNUCED)

Conseil du commerce et du développement

Programme des Nations unies pour le développement (PNUD)

Fonds d'équipement des Nations unies

Organisation des Nations unies pour le développement industriel (ONUDI)

Institut de formation et de recherche des Nations unies (UNITAR)

Fonds des Nations unies pour l'enfance (UNICEF)

Haut-Commissariat des Nations unies pour les réfugiés (HCR)

Programme alimentaire mondial ONU/FAO

Comité d'état-major

Les institutions spécialisées et l'AIEA

AIEA — Agence internationale de l'énergie atomique

OIT — Organisation internationale du travail

FAO — Organisation des Nations unies pour l'alimentation et l'agriculture

UNESCO — Organisation des Nations unies pour l'éducation, la science et la culture

OMS — Organisation mondiale de la santé

FMI — Fonds monétaire international

IDA — Association internationale pour le développement

BIRD — Banque internationale pour la reconstruction et le développement

SFI — Société financière internationale

OACI — Organisation de l'aviation civile internationale

UPU — Union postale universelle

UIT — Union internationale des télécommunications

OMM — Organisation météorologique mondiale

OMCI — Organisation intergouvernementa[le] consultative de la navigation maritime

GATT — Accord général sur les tarifs douaniers et le commerce

CONSEIL DE SÉCURITÉ

COUR INTERNATIONALE DE JUSTICE

SECRÉTARIAT

ASSEMBLÉE GÉNÉRALE

CONSEIL DE TUTELLE

CONSEIL ÉCONOMIQUE ET SOCIAL

Commissions économiques régionales

Commissions techniques

Comités de session, comités permanents et comités spéciaux

SOURCES

INSTITUTIONS

PERSONNES

DOMAINE PUBLIC

ÉCONOMIE

CONFLITS

La Cour internationale de justice

La charte de l'ONU a créé la CIJ le 6 mai 1946. Organe judiciaire de l'organisation mondiale, la CIJ succède à la Cour permanente de justice internationale (CPJI) fondée en 1920.

■■■■ Son organisation

La Cour se compose de 15 juges élus pour 9 ans par l'Assemblée générale et le Conseil de sécurité sur une liste de personnalités présentée par les gouvernements. Les juges sont des fonctionnaires internationaux qui exercent exclusivement des fonctions judiciaires. Ils sont irrévocables, sauf jugement unanime de leurs pairs, et ils bénéficient des privilèges et immunités diplomatiques.

■■■■ Son fonctionnement

☐ Elle siège à La Haye en formation plénière. Les mesures d'instruction consistent en recueil de témoignages, en expertises et enquêtes. Les délibérations ont lieu à huis clos et nécessitent un quorum de 9 membres. L'arrêt rendu par la Cour, rédigé en français et en anglais, est définitif et sans appel.

☐ Le statut de la CIJ (85 articles) pose deux conditions préalables à l'exercice des compétences de la Cour : le recours à la négociation directe et l'épuisement des voies de recours interne.

■■■■ Ses compétences

☐ Seuls les États ayant accepté et reconnu la compétence de la Cour ont qualité pour se présenter devant elle. Chaque État s'engage à se conformer à la décision de la Haute Cour. Le rôle de la Cour est double. Elle a une compétence contentieuse : elle s'efforce de régler les litiges en conformité avec le droit international, c'est-à-dire d'après les traités internationaux, la coutume internationale et les principes généraux du droit. Mais la Cour peut également statuer selon les règles de l'équité, si les parties au litige sont d'accord. Ainsi, la Cour a jugé une cinquantaine d'affaires contentieuses depuis sa création.

☐ La Cour exerce une autre mission essentielle en donnant des avis consultatifs (une vingtaine depuis 1946, dont l'effet n'est pas obligatoire) sur des points qui lui sont soumis par les organes de l'ONU et les institutions spécialisées autorisées par l'Assemblée générale des Nations unies.

☐ Les règles de droit applicables par la Cour sont les sources du droit international, c'est-à-dire les règles de l'article 38 de son statut et celles relatives à l'équité.

L'ORGANE JUDICIAIRE DES NATIONS UNIES

■ Règlement judiciaire international des litiges

Principal organe judiciaire de l'ONU, la CIJ — qui a remplacé en 1946 la Cour permanente de justice internationale (CPJI) de la SDN — est composée de 15 hauts magistrats (élus pour 9 ans par l'Assemblée et le Conseil de sécurité, rééligibles et de nationalités différentes). Sa juridiction n'est pas admise par tous les États. C'est le cas de la France depuis 1974.

La Cour rend des arrêts, mais aussi des avis qui sont rendus à la demande des États membres mais qui n'ont pas d'effet contraignant. De 1947 à 1993, la Cour de La Haye a rendu 55 arrêts et 24 avis.

■ L'affaire des essais nucléaires du 20 décembre 1974

Les faits

La France entame au début des années soixante-dix des expériences nucléaires dans l'atmosphère, en Polynésie française (précédemment, Paris procédait à des essais au Sahara sur la base de Reggano, territoire algérien depuis 1962).

Depuis quelques années, la Nouvelle-Zélande et l'Australie dénoncent les expériences françaises, car ces pays craignent les dangers des retombées nucléaires pour leur population. À l'issue de démarches vaines auprès des autorités françaises, ces deux États se tournent en dernier ressort vers la Cour internationale de justice de La Haye.

Les arrêts de la CIJ

La France a toujours nié la compétence de la Cour en matière de défense nationale et refuse ainsi de comparaître. Les plaintes des deux États se fondent sur le droit international qui, selon eux, interdit les essais nucléaires dans l'atmosphère. Ils demandent ainsi à la Haute Cour d'ordonner la cessation des essais.

L'arrêt rendu par la CIJ est très pragmatique et aux confins du droit et de la politique. Il relève que les nouvelles autorités françaises — Valéry Giscard d'Estaing vient d'être élu président de la République — ont exprimé leur intention de ne plus procéder à des explosions dans l'atmosphère au-delà de 1974. La CIJ estime, en conséquence, qu'elle n'a plus à statuer, puisque les éléments du litige vont bientôt disparaître.

Mais la France n'a pas apprécié que la CIJ se déclare compétente dans cette affaire. Elle reproche vertement à la Cour de ne pas avoir fait cas de ses réserves (essais effectués au titre de la défense nationale française) et d'avoir ordonné la suspension des essais jusqu'à l'arrêt (mesures conservatoires). Aussi, tirant les conclusions d'une telle attitude, le gouvernement français, avec à sa tête Jacques Chirac, retire en 1974 la déclaration française d'acception de la compétence de la Cour. D'ailleurs, la France a poursuivi ses essais durant les délibérations de la Cour.

SOURCES
INSTITUTIONS
PERSONNES
DOMAINE PUBLIC
ÉCONOMIE
CONFLITS

Autres instances internationales

Les relations entre États reposent sur de nombreuses institutions souvent limitées à quelques États membres, à une région ou relevant d'intérêts communs.

▬▬▬ Les organisations régionales

Ces organisations ne sont ouvertes qu'à des États au nombre restreint ayant des liens géographiques, religieux ou de complémentarité économique. Ces institutions internationales figurent sur tous les continents. En droit international, elles sont subordonnées à la Charte de l'ONU (Chapitre VIII sur les « Accords régionaux ») et doivent être compatibles avec les principes et les buts de cette charte.

▬▬▬ Les missions des organisations régionales

Ces organisations ont développé des compétences propres rivalisant avec la compétence universelle de l'organisation mondiale : il en est ainsi dans le domaine du règlement des différends entre États membres. En effet, dans certains litiges ou conflits armés, le Conseil de sécurité ne pouvant pas assumer sa mission, notamment au cours de la guerre froide, les organisations régionales sont parvenues soit à trouver pacifiquement une solution, soit à exercer une action de police contre un de ses membres, comme dans le cas de l'action de la Force arabe de dissuasion (FAD) au Liban, en 1976, et celle interafricaine envoyée en 1981 au Tchad par l'Organisation de l'Unité africaine (OUA). Depuis quelques années, l'ONU a recouvré toute son autorité juridique et politique, notamment sous les mandats des secrétaires généraux MM. Pérez de Cuellar et Boutros-Ghali, par exemple en Namibie, au Cambodge ou dans l'ex-Yougoslavie.

▬▬▬ Les organisations européennes

□ Les organisations européennes sont très nombreuses et de création assez récente. Après 1945, les États de la « vieille Europe » ont pris conscience du déclin économique et militaire qui les menaçait. Ils ont alors multiplié les organisations couvrant les domaines de l'« activité humaine » : l'économie (exemple : l'Organisation de coopération et de développement économique), la politique (exemple : le Conseil de l'Europe), les techniques (exemple : l'Agence spatiale européenne) et le militaire (exemple : l'Union de l'Europe occidentale).

□ L'organisation européenne la plus complète, celle dont les objectifs sont les plus ambitieux est la Communauté économique européenne (CEE) ou Marché commun. La CEE est l'unique organisation à vocation régionale à avoir développé un droit international communautaire. Ce droit est récent et supranational, c'est-à-dire supérieur aux droits nationaux de chaque État membre.

Un tribunal (la Cour de justice des Communautés européennes, siégeant au Luxembourg) statue sur recours des États membres, des organes exécutifs des Communautés ou des particuliers.

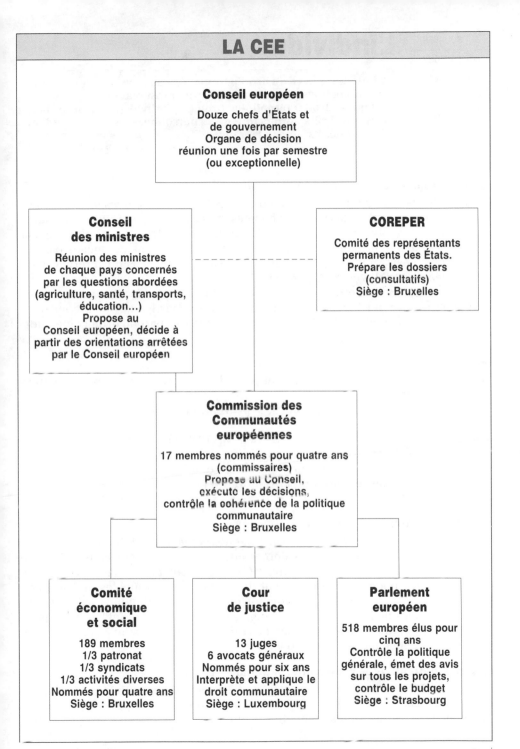

LA CEE

Conseil européen

Douze chefs d'États et
de gouvernement
Organe de décision
réunion une fois par semestre
(ou exceptionnelle)

**Conseil
des ministres**

Réunion des ministres
de chaque pays concernés
par les questions abordées
(agriculture, santé, transports,
éducation...)
Propose au
Conseil européen, décide à
partir des orientations arrêtées
par le Conseil européen

COREPER

Comité des représentants
permanents des États.
Prépare les dossiers
(consultatifs)
Siège : Bruxelles

**Commission des
Communautés
européennes**

17 membres nommés pour quatre ans
(commissaires)
Propose au Conseil,
exécute les décisions,
contrôle la cohérence de la politique
communautaire
Siège : Bruxelles

**Comité
économique
et social**

189 membres
1/3 patronat
1/3 syndicats
1/3 activités diverses
Nommés pour quatre ans
Siège : Bruxelles

**Cour
de justice**

13 juges
6 avocats généraux
Nommés pour six ans
Interprète et applique le
droit communautaire
Siège : Luxembourg

**Parlement
européen**

518 membres élus pour
cinq ans
Contrôle la politique
générale, émet des avis
sur tous les projets,
contrôle le budget
Siège : Strasbourg

SOURCES
INSTITUTIONS
PERSONNES
DOMAINE PUBLIC
ÉCONOMIE
CONFLITS

L'individu

L'individu relève du droit national de son pays. Il a des devoirs sanctionnés juridiquement en cas de transgression flagrante. En retour, le droit international protège l'individu en lui accordant certains droits : protection de sa personne, de son patrimoine, de ses intérêts situés à l'étranger.

■■■■ Responsabilité pénale de l'individu

□ À la veille de la Seconde Guerre mondiale, les infractions punissables sont peu nombreuses (exemples : la traite des femmes et des enfants, la traite des esclaves ou le trafic de publications obscènes). Le droit pénal international n'existe pas. Plusieurs textes internationaux reconnaissent les infractions commises par des particuliers, mais peu d'engagements organisent la répression internationale d'actes répréhensibles commis par un individu.

□ Ce fut le cas avec l'accord de Londres du 8 août 1945 créant le tribunal de Nuremberg compétent pour juger des atrocités commises par les nazis au cour de la Seconde Guerre mondiale. Ce texte marque le point de départ du droit conventionnel de l'individu.

■■■■ De nombreux textes internationaux

Les textes internationaux se sont multipliés depuis 1945. Parmi les plus importants, on peut relever :

– le crime de génocide (convention sur la prévention et la répression du crime de génocide, 1951) ;

– les crimes de guerre (conventions de Genève, 1949, conclues sous les auspices du CICR, Comité international de la Croix-Rouge) ;

– la piraterie aérienne (convention de 1958, complétée par une résolution de l'Assemblée générale de l'ONU du 3 novembre 1977) ;

– le trafic de stupéfiants (1961).

■■■■ Protection de l'individu

Le droit international cherche à protéger, par des conventions internationales, certaines catégories d'individus considérées comme exposées. Les conventions de l'Organisation internationale du travail (OIT) poursuivent des buts de justice sociale et contribuent à l'établissement de normes internationales du travail au bénéfice direct des individus. La protection des minorités ethniques, les apatrides (individus privés de nationalité), les réfugiés (personnes ayant fui leur pays pour des raisons politiques) et la protection des droits de l'homme sont également couverts par des conventions internationales.

■■■■ L'individu et la justice internationale

L'accès aux juridictions internationales peut être ouvert aux individus, c'est le cas de la Commission européenne des droits de l'homme, ou de la Cour de justice des Communautés européennes compétentes pour juger les recours des personnes privées.

VIOLATIONS GRAVES CONTRE LES INDIVIDUS

■ Le contexte historique

Deux procès internationaux ont jugé les criminels de guerre au lendemain du second conflit mondial.

■ Le procès de Nuremberg
(novembre 1945 - octobre 1946)

Les quatre États vainqueurs de la Seconde Guerre mondiale (États-Unis, France, Royaume-Uni et URSS) créent à l'issue de la guerre un tribunal international composé de juristes éminents et de militaires pour juger 24 accusés.

Ce tribunal international sans précédent dans l'histoire va, au bout d'un an, livrer sa sentence. Il aura fallu 402 séances aux 8 juges (2 par pays) pour traiter des 4 chefs d'inculpation suivants :
- crimes de guerre ;
- crimes contre l'humanité ;
- crimes contre la paix ;
- conjuration contre la paix.

Mais surtout, le tribunal de Nuremberg parvient à définir la notion de crime contre la paix et de crimes contre l'humanité.

Crimes contre l'humanité

« C'est-à-dire l'assassinat, l'extermination, la réduction en esclavage, la déportation et tout acte inhumain commis contre toutes les populations civiles, avant ou pendant la guerre, ou bien les persécutions pour des motifs politiques, raciaux ou religieux, lorsque ces actes ou persécutions, qu'ils aient constitué ou non une violation du droit interne du pays où ils ont été perpétrés, ont été commis à la suite de tout crime entrant dans la compétence du tribunal ou en liaison avec ce crime. » (Article 6c.)

■ Le procès de Tokyo
(mai 1946 - novembre 1948)

Vingt-cinq criminels de guerre japonais sont poursuivis et jugés après la capitulation de l'Empire du Soleil levant. Sept responsables sont exécutés, comme l'ancien Premier ministre Tojo, les autres sont sanctionnés par des peines de prison variables, dont seize à perpétuité.

■ Le contexte actuel : l'ex-Yougoslavie

Pour la première fois depuis les procès fondamentaux de Nuremberg et de Tokyo, les 15 membres du Conseil de sécurité des Nations unies décide, le lundi 22 février à l'unanimité (résolution 808), la création d'un tribunal international qui se réunira à l'issue de la guerre. Il devra juger les personnes présumées responsables de violations graves du droit humanitaire dans l'ex-Yougoslavie. Les onze juges choisis par l'Assemblée générale de l'ONU, sont élus pour quatre ans à compter du mois de novembre 1993.

Par « violations graves », il faut entendre la pratique quasi systématique de « nettoyage ethnique », les viols et les tortures en tous genres. Sans être citée, la Serbie est montrée du doigt dans la résolution onusienne.

SOURCES

INSTITUTIONS

PERSONNES

DOMAINE PUBLIC

ÉCONOMIE

CONFLITS

La nationalité

La nationalité est le lien juridique qui unit une personne à un État. Chaque État est libre de déterminer par sa législation quels sont ses nationaux. Cependant, dans certains cas, la liberté des États se trouve limitée par des traités bilatéraux, dont la portée pratique est faible.

▬▬▬ Règles de détermination de la nationalité

☐ La nationalité peut être attribuée selon deux fondements que la plupart des États modulent dans des proportions variables : la filiation selon le principe dit du *jus sanguinis* (le droit du sang, le lien familial) ; le lieu de naissance selon le principe dit du *jus soli* (le droit du sol, le milieu social).

☐ Certains traités fixent la nationalité d'habitants de territoires ou de colonies ayant accédé à l'indépendance (exemple : le traité de Versailles de 1919 sur la nationalité des Alsaciens et Lorrains).

▬▬▬ Conflits de nationalité en droit français

Une personne peut avoir plusieurs nationalités (on parle alors de « conflit positif ») ou bien n'en avoir aucune et être alors apatride (« conflit négatif »). Lorsqu'un litige de nature positive lui est soumis, le juge français doit privilégier la nationalité française si celle-ci est en concurrence avec une nationalité étrangère. Mais en cas de conflit entre deux nationalités étrangères, les tribunaux doivent faire prévaloir la nationalité effective, c'est-à-dire celle qui correspond le mieux aux habitudes et au comportement social de l'individu concerné.

▬▬▬ L'attribution de la nationalité française

☐ La nationalité française s'acquiert soit dès la naissance, soit après la naissance. Dans le premier cas, elle s'effectue de deux manières : par filiation avec un parent français ou lorsque l'enfant est né en France, soit de parents inconnus, soit de parents connus dont l'un est né en France.

☐ Après la naissance, plusieurs hypothèses sont envisageables :

– acquisition par naissance et résidence en France pendant 5 ans et sur déclaration pendant la minorité ;

– acquisition liée au statut personnel : par adoption (l'adoptant est français, l'adopté est mineur et réside en France), par mariage avec un(e) Français(e) célébré depuis 6 mois et par possession d'état de Français depuis 10 ans sur déclaration ;

– acquisition par naturalisation, décidée par le gouvernement français aux conditions suivantes : avoir 18 ans, avoir résidé en France depuis les 5 ans précédant la demande de naturalisation et être de bonne moralité.

☐ La répudiation de la nationalité française est permise si un seul des parents est français et si l'enfant est né à l'étranger. Pour perdre la nationalité française, il faut avoir une nationalité étrangère par filiation et faire la demande dans les 6 mois précédant la majorité légale.

LES CONFLITS DE NATIONALITÉS

■ Position du problème

Une règle de conflit se présente comme l'application à un rapport de droit déterminé d'une législation nationale ou internationale par un élément de rattachement. Concernant la personne, il y a deux points de rattachement possibles à un système juridique : le domicile, mais surtout la nationalité. Le point de rattachement « nationalité » est le plus concret, souvent le plus visible, et celui qui engendre le plus de difficultés pratiques. Les juristes distinguent les conflits positifs (abondance de points de rattachement) des conflits négatifs (absence de critères de rattachement).

■ Les conflits positifs

Très fréquents, ces types de conflits désignent le cas d'un individu doté de plusieurs nationalités : deux, trois, voire davantage ! Ainsi, un individu peut être né en France, se marier avec une Allemande et vivre en Italie. Il peut alors cumuler les différentes nationalités.

Mais quelle est la situation, au regard du Code de la nationalité, d'un enfant prématuré qui naît dans un avion, effectuant un vol international et qui, par définition, survole plusieurs États ? Ou encore le même exemple avec cette fois un paquebot en croisière autour de plusieurs pays ? La nationalité des parents à n'en pas douter est retenue. Mais pourrait-on retenir celle de l'État de départ de l'avion, celle de l'État d'arrivée de l'avion, les nationalités des États où le navire fait des escales, la nationalité du pays ayant immatriculé le navire ou l'avion ?

Ce sont les droits des États, quelquefois généreux en matière de nationalité, et les nombreuses conventions bilatérales entre États qui règlent ces cas parfois très complexes.

■ Les conflits négatifs

Il peut arriver qu'une personne se trouve privée de nationalité. Elle est alors considérée par le droit international comme « apatride ». Le cas le plus courant est celui d'un individu expulsé du territoire d'un État dont il est pourtant le national.

Durant l'époque de la guerre froide, les dissidents soviétiques subissaient ce type de contrainte par corps. Une personne privée de nationalité n'a aucun lieu de rattachement, elle ne peut faire valoir ni défendre ses droits de citoyen membre à part entière d'une communauté nationale. Fort heureusement, les cas d'apatride sont rares et le plus souvent réglés par l'État d'accueil dans les meilleurs délais.

■ Les sujétions de la multi-nationalité et ses contraintes

Certes, avoir plusieurs nationalités peut paraître séduisant. Il est agréable, grâce à des documents d'identité en règle, de pouvoir passer d'un pays à l'autre sans avoir à subir les formalités douanières, par exemple. Mais la double ou triple nationalité impose en théorie, et parfois en pratique, une somme de contraintes : être fiscalement doublement imposé, participer à une élection obligatoire, sacrifier au devoir d'accomplir le service national ou effectuer régulièrement des manœuvres militaires, participer à une mobilisation en cas de guerre , etc.

SOURCES

INSTITUTIONS

PERSONNES

DOMAINE PUBLIC

ÉCONOMIE

CONFLITS

Les droits des personnes

Le Code civil français pose un principe clair : « Les lois concernant l'état et la capacité des personnes régissent les Français même résidant en pays étrangers » (art. 3 alinéa 3). Ce principe « d'universalité » de la loi nationale n'est pas celui retenu par tous les droits nationaux.

▬▬ Le rattachement du statut personnel

☐ Les États européens, ceux du Moyen-Orient et d'Extrême-Orient retiennent le rattachement lié à *la nationalité* ; alors que les pays anglo-saxons, scandinaves et d'Amérique latine privilégient le rattachement lié *au domicile*.

☐ La nationalité est un critère de certitude (la nationalité est un rattachement plus stable que le domicile dont les changements ne sont pas rares). Le rattachement au domicile est pratique (le lieu où l'on vit), commode (le juge du tribunal du domicile retient sa propre loi) et l'unité des relations familiales est sauvegardée (les nationalités différentes y sont plus fréquentes que les domiciles différents).

▬▬ Le nom et le mariage

☐ Pour le nom (détermination, changement), c'est la loi nationale qui s'applique.

☐ C'est la loi nationale qui s'applique en ce qui concerne les conditions de fond du mariage, mais c'est la loi du lieu de célébration (sous réserve des mariages consulaires) qui s'applique pour les conditions de forme.

▬▬ Les incapacités

La loi nationale s'applique, mais il y a deux exceptions : en cas de fraude à la loi (naturalisation d'un prodigue français pour échapper à l'assistance d'un conseil judiciaire) et en cas d'ignorance excusable de la loi étrangère. C'est ce qui s'est passé en 1861 dans l'affaire Lizardi, une célèbre affaire en matière d'état et de capacité des personnes. Elle illustre bien l'adaptation aux situations complexes : un Mexicain de 23 ans refusa de payer les bijoux achetés à Paris en se déclarant incapable (la majorité légale était alors fixée au Mexique à 25 ans) ; il fut cependant condamné, car « le bijoutier français, ne pouvant connaître les lois des diverses nations, avait traité sans légèreté, sans imprudence, avec bonne foi… ».

▬▬ Le divorce et la séparation de corps

En matière de divorce et de séparation de corps (loi du 11 juillet 1975, article 310 du Code civil), on se réfère à la loi française : quand les deux époux sont de nationalité française, quand les deux époux ont leur domicile en France ou lorsqu'aucune loi étrangère ne se reconnaît compétente.

▬▬ La filiation légitime et naturelle

Elle est soumise à la loi nationale. En matière d'établissement de la filiation (loi du 3 janvier 1972), s'applique la loi à laquelle la mère est soumise au jour de la naissance de l'enfant ou la loi personnelle de l'enfant si la mère est inconnue.

■ La définition de l'enfant

D'après la convention de 1989, l'enfant est ainsi défini par le droit international : « Tout être humain jusqu'à l'âge de 18 ans, sauf si la loi nationale accorde la majorité plus tôt. »

■ L'apparition de la notion de droit de l'enfant

Le Fonds des Nations unies pour l'enfance (UNICEF), créé en 1946, a son siège à New York. Cette institution spécialisée de l'ONU a pour mission de venir en aide aux enfants partout dans le monde, là où leurs droits fondamentaux sont menacés. Il rédige des rapports et mène des campagnes de lutte contre la faim.

Depuis la fin des années soixante-dix, les États membres de l'ONU cherchent à organiser et à codifier les droits de l'enfant dans un texte acceptable par tous les États, quel que soit leur régime économique et politique. La tâche n'est pas facile tant sont diverses les perceptions que les États ont de l'enfant.

Après des tractations délicates, la convention de New York du 20 novembre 1989, conclue sous les auspices de l'ONU et préparée activement à la fois par l'UNICEF et par l'association Défense des enfants-International, est adoptée à l'unanimité, fait rarissime pour un texte de cette ampleur. Ce texte, que la France a ratifié le 7 août 1990, pose des principes normatifs et établit un code à suivre pour les États.

Outre de nombreuses conventions bilatérales, la France a ratifié toutes les conventions universelles ou régionales relatives aux droits et à la protection des enfants comme la convention internationale de La Haye sur les aspects civils de l'enlèvement international des enfants, ratifiée le 16 septembre 1982.

■ La protection des enfants

La convention de New York rappelle les notions fondamentales de la vulnérabilité de l'enfant, les devoirs d'assistance et de protection multiforme incombant aux familles et aux États. L'intérêt supérieur de l'enfant — c'est-à-dire son intégrité, ses droits juridiques et humains et son épanouissement personnel sans entraves — doit guider tous les choix arrêtés par l'État. C'est dans cet esprit que sont fermement prohibés : le trafic d'enfants, en particulier en matière d'adoption, la prostitution des enfants et la mise au travail précoce des enfants.

■ La violation des droits des enfants

Malgré cet engagement des nations, chaque année l'Organisation internationale du travail (OIT) et l'UNICEF dénoncent des pratiques scandaleuses commises avec le consentement implicite ou exprès des gouvernements. Parmi ces déviations, il convient de citer : le travail des enfants parfois dès l'âge de 5 ou 6 ans, l'organisation de réseaux de prostitution, la vente publique de drogues, le commerce des nourrissons ou de jeunes enfants pour des Occidentaux en mal d'adoption, etc. La liste sombre est très longue et les États permissifs ou complices sont connus : les pays pauvres (Inde, Pakistan, Bangladesh, Brésil) et même en Europe (Italie, Grèce) pour le travail, les pays du Sud-Est asiatique tels les Philippines ou la Thaïlande pour la prostitution enfantine, et l'Amérique du Sud en ce qui concerne le trafic d'enfants.

SOURCES

INSTITUTIONS

PERSONNES

DOMAINE PUBLIC

ÉCONOMIE

CONFLITS

Le droit patrimonial de la famille

> Les régimes matrimoniaux de nature internationale sont en principe soumis à la loi choisie par les parties : c'est la loi d'autonomie retenue par les engagements internationaux.

■■■■■ La loi d'autonomie

La loi choisie par les parties en matière de régimes matrimoniaux est la solution de l'importante convention de La Haye de mars 1978, non entrée en vigueur mais ratifiée par la France. Il en va cependant autrement pour les successions et les libéralités (donations).

■■■■■ Les régimes matrimoniaux

Le domicile matrimonial est le lieu où les époux s'établissent de façon stable et durable après le mariage. La loi d'autonomie détermine le domaine et les limites des régimes matrimoniaux conventionnels, elle régit la composition des patrimoines et les pouvoirs des époux. Mais la capacité de conclure un contrat de mariage est soumise à la loi personnelle puisqu'il s'agit d'une question relevant de la capacité des personnes.

■■■■■ Les successions

☐ Selon la jurisprudence et le Code civil (art. 3), la loi de la situation des immeubles gouverne tous les aspects de la succession immobilière. Par conséquent, la loi successorale établit : l'ordre des successibles, le droit à une réserve, les règles de partage et les modalités de transmission des biens.
☐ Cependant, la loi personnelle reste compétente concernant l'établissement du lien de parenté et l'habilitation des mineurs ou majeurs incapables (sous sauvegarde de justice, sous curatelle ou sous tutelle). Quant aux formalités de publicité et de mise en possession des biens, elles relèvent toutes de la loi de la situation des biens, la loi « réelle ».

■■■■■ Les libéralités

☐ Les libéralités ou donations obéissent au principe *locus regit actum* pour la forme (formalités de rédaction) et à la loi d'autonomie pour le fond (interprétation et obligations des parties du vivant du donateur). Au décès du donateur, la loi successorale s'applique.
☐ Un étranger peut faire un testament en France selon les principes du droit français ou d'après ses propres règles nationales. Pour un Français à l'étranger, la situation symétrique est également retenue (article 999 du Code civil).
☐ La loi régissant les effets du mariage pour les donations mobilières et immobilières entre époux est la solution que la Cour de cassation admet le plus nettement depuis l'arrêt Campbell-Johnson du 15 février 1966.

Y A-T-IL UN DROIT INTERNATIONAL DES SUCCESSIONS ?

■ Part de la succession dont on peut disposer en droit français

Bénéficiaires	Réserve légale (succession revenant de droit aux héritiers)	Quotité disponible (part pouvant être léguée intégralement ou donnée)
Enfants 1 2 3 et +	1/2 des biens 2/3 des biens 3/4 des biens	1/2 des biens 1/3 des biens 1/4 des biens
À défaut d'enfants Petits-enfants	La part de leur père ou de leur mère décédée	1/2, 1/3 ou 1/4 des biens selon les cas
À défaut d'enfants et de petits-enfants Deux parents	1/4 pour le père 1/4 pour la mère	1/2 des biens
Un seul parent	1/4 pour le père	3/4 des biens

Il s'agit du premier niveau de succession. Au-delà de ce dispositif, d'autres héritiers (frères, cousins, neveux…) peuvent être amenés à faire valoir leurs droits.

■ Les principes de détermination de la loi successorale

■ La succession d'une personne domiciliée en France lors de son décès :

- pour les biens meubles : c'est la loi française qui régit tous les biens du patrimoine d'une personne décédée (loi du domicile du défunt), que ces biens soient en France ou à l'étranger et que ce défunt soit Français ou de nationalité étrangère ;

– pour les biens immobiliers : la loi du lieu de leur situation s'applique. Il y a ici avantage à soumettre à une loi unique le régime de propriété des immeubles et celui de leur transmission successorale.

■ La succession d'une personne non domiciliée en France au moment de son décès : que cette personne soit de nationalité française ou étrangère, la loi française s'applique à tous les biens mobiliers et immobiliers situés en France.

■ La succession s'ouvre dans le pays où le défunt a son domicile : ce sont les règles successorales de ce pays qui s'appliquent.

■ Les biens du défunt sont situés à l'étranger et la succession est ouverte en France : des problèmes fiscaux et de contrôle des changes vont se poser, puisque les biens sont imposables dans le pays de leur situation. Mais il est toujours possible à des parties en litige d'apporter la preuve aux tribunaux français de la réalité des dispositions d'un pays étranger en matière successorale. Les juges français peuvent alors retenir et appliquer cette législation étrangère.

■ La succession du défunt étranger sans contrat de mariage : le juge saisi doit alors parvenir à déterminer la nature juridique de son régime matrimonial.

■ Donations entre époux de nationalités différentes : en matière de libéralités, et particulièrement les donations, la Cour de cassation applique, pour les biens présents, la loi régissant les effets du mariage, que la donation soit mobilière ou immobilière.

SOURCES
INSTITUTIONS
PERSONNES
DOMAINE PUBLIC
ÉCONOMIE
CONFLITS

Le statut des étrangers en France

L'admission des étrangers sur le territoire français et leur séjour sont réglementés par l'importante ordonnance du 2 novembre 1945, récemment modifiée par plusieurs ordonnances.

▬▬▬ Admission, séjour et activité des étrangers

□ L'entrée des étrangers sur le territoire français est conditionnée par l'obtention d'un passeport délivré par le pays d'origine et d'un visa délivré par le consulat français dans ce pays d'origine. En pratique, c'est la Police de l'air et des frontières qui filtre les entrées sur le territoire français.

□ Pour pouvoir résider ou séjourner en France plus de trois mois, un étranger de plus de 18 ans doit obtenir un titre de séjour (l'équivalent d'une carte d'identité).

□ Un étranger ne peut travailler en France que s'il obtient une autorisation de travail (article L. 341-2 et 341-4 du Code du travail). La mention « salarié » doit figurer sur le titre de séjour.

▬▬▬ Mesures administratives d'éloignement des étrangers

□ L'État français a le droit de recourir à deux mesures : il peut décider la reconduite aux frontières par arrêté préfectoral à l'encontre de tout étranger (sauf les mineurs). Cette décision peut faire l'objet d'un recours administratif devant le président du tribunal administratif dans les 24 heures de la décision.

□ La procédure de l'expulsion est prononcée par arrêté du ministre de l'Intérieur lorsque la présence de l'étranger « constitue une menace grave pour l'ordre public » (art. 23 ord. de 1945). L'arrêté peut faire l'objet d'un recours pour illégalité (exemple : vice de procédure) devant le tribunal administratif ou encore être abrogé à tout moment par le ministre de l'Intérieur.

□ Depuis la loi du 6 juillet 1992 (entrée en vigueur le 11 juillet), un étranger non admis sur le territoire français ne peut être maintenu en zone d'attente (exemple : un lieu précis dans un aéroport) que durant quatre jours. À l'expiration de ce délai, une décision de justice doit intervenir pour permettre de prolonger le maintien dans la zone durant huit autres jours au maximum. Sur un plan international, les pouvoirs publics français sont tenus d'aviser les agents diplomatiques (consulat et ambassade) intéressés et de faciliter la prise en charge de l'expulsé par les autorités étrangères.

▬▬▬ Droits des étrangers

Privé de ses droits publics (inéligibilité, accès refusé aux fonctions publiques), l'étranger bénéficie de l'article 11 du Code civil qui lui accorde la jouissance des droits civils sous condition de réciprocité diplomatique au profit des Français. Cependant, certains droits civils accordés aux étrangers sont subordonnés à la notion de résidence en France, notamment les prestations de la Sécurité sociale (indemnités maladies, pensions d'invalidité…).

LA FRANCE, TERRE D'ACCUEIL

■ Quand ?

Depuis le début du siècle, la France constitue une terre traditionnelle d'accueil, parfois d'asile et de refuge pour des populations étrangères. L'émigration vers la France a commencé par une vague de personnes en provenance de Pologne et d'Italie. Après 1945, elle accueille des ressortissants des pays du Maghreb (Algériens, Tunisiens, Marocains) et, après l'accès à l'indépendance des États d'Afrique francophone, Camerounais, Ivoiriens et Maliens entrent sur le territoire français. La dernière vague d'immigration est celle constituée récemment par les Cambodgiens et les Vietnamiens.

■ Pourquoi ?

Les raisons qui expliquent la présence de tant de nationalités sur le sol français sont de trois ordres : l'appel des gouvernements français à une main-d'œuvre étrangère acceptant d'effectuer des tâches ingrates, la recherche personnelle d'un travail, dans la mesure où dans leur pays les étrangers en sont privés et, en troisième lieu, pour des motifs idéologiques, comme la fuite de régimes politiques oppressifs (on se souvient dans les années soixante-quinze, des dramatiques « boat people »).

■ Comment ?

Les quelque 4,4 millions d'étrangers (8 % de la population totale vivant en France) sont dans leur immense majorité entrés légalement dans l'hexagone, munis des documents nécessaires (visa, permis de séjour, carte de travail). Le nombre de clandestins est faible. Avec la persistance de la crise économique, la montée inquiétante du chômage, les frontières françaises naguère très perméables se referment.

■ La loi Pasqua

La législation française (loi de 1993), impulsée par le ministre de l'Intérieur, Charles Pasqua, vise à réprimer l'immigration clandestine, à filtrer les demandes de droit d'asile lors de la délivrance des titres de séjour, à restreindre l'accès à la nationalité française, à éviter les mariages de complaisance Français-Étrangers et renforcer les contrôles d'identité.

Cependant, les 9 sages du Conseil constitutionnel ont, dans une décision du 13 août 1993, annulé 8 des 51 articles de la loi Pasqua en en édulcorant quelques principes (sur le mariage et le regroupement familial, notamment) et en émettant certaines réserves (sur les contrôles d'identité et sur les droits sociaux des étrangers en situation irrégulière). La nouvelle loi Pasqua doit donc tenir compte de ces remarques.

Ensemble des Européens résidant en France	
Allemands	52 723
Belges	56 129
Britanniques	50 422
Danois	3 544
Espagnols	216 047
Grecs	6 091
Irlandais	3 542
Italiens	252 759
Luxembourgeois	3 040
Néerlandais	17 881
Portugais	649 714
Total CEE	**1 311 892**

| SOURCES |
| INSTITUTIONS |
| **PERSONNES** |
| DOMAINE PUBLIC |
| ÉCONOMIE |
| CONFLITS |

Le statut des sociétés étrangères en France

Le statut juridique des personnes morales – essentiellement les sociétés – dépend de leur rattachement à un État. Les droits français et anglais divergent sur ce point.

■■■■ Le critère du siège social

☐ Le système juridique anglais de *Common law* et d'*Equity* retient le lien de l'incorporation qui rattache la société au pays de sa constitution.

☐ En droit français, la détermination de la nationalité de la société s'établit selon deux critères : le siège social, critère de base, et le siège du contrôle qui n'est qu'un critère correcteur. Selon la loi du 24 juillet 1966, « les sociétés dont le siège social est situé en territoire français sont soumises à la loi française ». Le siège social est le lieu où s'exerce la direction de la société. Il doit être réel, c'est-à-dire non fictif et sérieux, donc non frauduleux, et répondre à un intérêt légitime. En application de ce principe, la société ne peut invoquer que son siège social statutaire, celui librement fixé par les fondateurs et figurant dans ses statuts.

■■■■ Le critère du contrôle

Il détermine la nationalité d'une société par sa dépendance économique à l'égard de la communauté nationale. Il résulte de plusieurs éléments, tels que la nationalité des associés majoritaires, celle des dirigeants sociaux ou l'origine nationale des capitaux réunis. En conséquence, est de nationalité française la société appartenant à l'économie française, bien qu'étant contrôlée par des étrangers.

■■■■ Reconnaissance de leur existence

Le droit français reconnaît la personnalité morale des sociétés étrangères lorsque ces sociétés en bénéficient selon leur loi nationale. La convention de La Haye du 1er juin 1956 — ratifiée par la France mais non entrée en vigueur faute de ratifications suffisantes — reconnaît la personnalité juridique des sociétés et associations régulièrement constituées sur le territoire des autres États signataires de la convention. Enfin, l'article 220 du traité de Rome pose le principe de la liberté d'établissement sur la base de la reconnaissance mutuelle des sociétés entre États membres de la CEE.

■■■■ Les effets de leur reconnaissance

Les sociétés étrangères régulièrement reconnues ont le droit de posséder des biens en France, de faire toutes les opérations entrant dans l'objet social et d'agir en justice (ester). Cependant, leurs droits en France ne peuvent dépasser ceux qui leur sont accordés dans leurs propres États.

LE GROUPEMENT EUROPÉEN D'INTÉRÊT ÉCONOMIQUE

Règles de constitution et de fonctionnement	Caractéristiques
texte de droit	institué par le règlement CEE 2137/85 du 25/07/1985
intérêt du GEIE	premier cadre « institutionnel » de coopération intracommunautaire
objet	toute activité industrielle, commerciale, artisanale, agricole, libérale ou autres services
modèle d'inspiration	le GIE français institué par l'ordonnance du 23/09/1967
siège	dans un État membre de la CEE
constitution : règles d'immatriculation et de publication	établissement du « contrat de groupement » (= les statuts) : 1 – immatriculation au registre de l'État du siège 2 – dépôt du contrat de groupement au registre (tenu, en France, au greffe du tribunal de commerce) 3 – publication au bulletin national (en France au *Bodacc*) 4 – publication au *JO des Communautés européennes*
capital social	l'apport d'un capital n'est pas nécessaire
nombre de membres et choix des partenaires	– liberté de choix (entités publiques et privées, personnes physiques et morales) – au moins 2 membres avec possibilité de limiter à 20 (la France n'a pas apporté cette restriction)
nombre de salariés	500 maximum
organes de cette structure souple	– l'administration assurée par le ou les gérants (appelés « administrateurs » dans le GIE français) dont la nomination et la révocation sont librement fixées dans le contrat de groupement – les délibérations sont prises par les membres agissant collégialement : un membre/une voix en principe
décisions	– l'organe délibératif est convoqué par le gérant – les règles de quorum et de majorité sont déterminées par le contrat de groupement ; dans le silence du contrat, les décisions sont prises à l'unanimité
organes de contrôle	aucun organe de contrôle de gestion et des comptes
garanties offertes aux tiers	– responsabilité solidaire des membres (chaque gérant engage le GEIE même si l'acte accompli n'entre pas dans son objet) – inopposabilité des clauses limitant les pouvoirs des gérants
règlement des litiges	silence du texte communautaire à ce sujet
fiscalité complexe	– transparence fiscale (le résultat n'est imposable qu'au niveau de ses membres, art. 40) – application du droit fiscal national concernant notamment la répartition des bénéfices

| SOURCES |
| INSTITUTIONS |
| PERSONNES |
| DOMAINE PUBLIC |
| ÉCONOMIE |
| CONFLITS |

Le travailleur français à l'étranger

> Qu'ils aient le statut de détaché ou celui d'expatrié, les travailleurs français à l'étranger bénéficient de certains droits, et doivent se conformer à la législation du pays de résidence.

▬▬ Sa situation administrative

□ La distinction fondamentale entre détaché et expatrié réside dans la durée de présence à l'étranger. Le détaché réside à l'étranger plus de 183 jours et jusqu'à 3 ans avec prolongement possible à 6 ans, l'expatrié y reste plus de 6 années. Détaché et expatrié dépendent administrativement des autorités françaises à l'étranger : ambassade et consulat, ce dernier prenant fait et cause pour son ressortissant dans la défense de ses droits.

□ Par rapport aux autorités locales, le travailleur français doit obtenir un visa d'entrée délivré par les autorités de police, une carte de résident après une présence de 6 mois et respecter la législation relative aux contrôles des changes de l'État d'accueil. Enfin, il aura le souci de contracter des assurances multiples en cas d'accidents ou de rapatriement.

□ Répondant à la nécessaire mobilité internationale des cadres, la population française à l'étranger représente 2,5 % de la population française totale, contre 5 % au Royaume-Uni ou 8 % au Japon.

▬▬ Le contrat de travail

Le contrat de travail définit le poste occupé et les conditions de réinsertion. Il envisage les conditions d'application de la convention collective existante. Le contrat détermine les indemnités liées au climat, à l'instabilité politique, à l'isolement ou à l'éloignement des grandes villes et tous les avantages complémentaires en nature (exemples : un appartement, un véhicule, des vêtements de travail…). Des indemnités compensatrices de perte d'allocations familiales et frais de scolarité des enfants sont souvent prévues au contrat.

▬▬ Le régime d'imposition

Le régime devra éviter la double imposition, c'est-à-dire au titre de travailleur français et à celui de résident salarié dans l'État étranger. Si le détaché à l'étranger a son domicile hors de France, son obligation fiscale sera diminuée de la part payée à l'étranger aux conditions suivantes :

– l'imposition a lieu dans un autre pays au terme de conventions entre la France et certains pays ;

– la durée de séjour est supérieure à 183 jours ;

– le détaché occupe l'une des activités prévues au Code général des impôts (art. 81 a) : travail sur un chantier à l'étranger, recherche et extraction de ressources naturelles et prospection commerciale, alors même qu'il a un domicile fiscal en France.

LES FRANÇAIS À L'ÉTRANGER

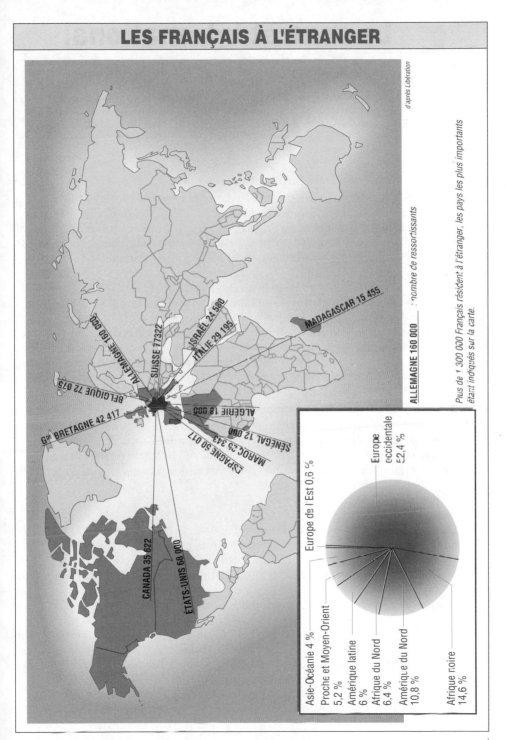

d'après Libération

ALLEMAGNE 160 000 ———— : nombre de ressortissants

Plus de 1 300 000 Français résident à l'étranger, les pays les plus importants étant indiqués sur la carte.

ALLEMAGNE 160 000
SUISSE 77 322
ISRAËL 24 580
ITALIE 29 195
MADAGASCAR 15 455
BELGIQUE 72 075
Gde BRETAGNE 42 417
ALGÉRIE 18 000
SÉNÉGAL 12 000
MAROC 25 343
ESPAGNE 50 017
CANADA 35 622
ÉTATS-UNIS 68 000

Asie-Océanie 4 %
Proche et Moyen-Orient 5,2 %
Amérique latine 6 %
Afrique du Nord 6,4 %
Amérique du Nord 10,8 %
Afrique noire 14,6 %
Europe de l'Est 0,6 %
Europe occidentale 52,4 %

SOURCES
INSTITUTIONS
PERSONNES
DOMAINE PUBLIC
ÉCONOMIE
CONFLITS

Le contrat international

Le droit international ne donne pas de définition du contrat international, mais il en a fixé les clauses obligatoires. L'établissement des contrats repose sur l'accord des parties concernant la rédaction et les clauses à insérer (la langue, le tribunal ou l'arbitre en cas de litiges, la référence à des conventions…).

■■■■■ **Les différents systèmes juridiques applicables**

Il existe dans le monde plusieurs droits régissant les contrats internationaux. On peut distinguer trois grands systèmes juridiques.
□ Les droits romains s'appliquent en France, en Afrique noire, en Italie, au Portugal et en Égypte. Pour ces sytèmes, l'écrit est le meilleur moyen de preuve, la parole donnée entre les parties ne suffit pas en application de l'adage : « Les paroles s'envolent, mais les écrits restent. »
□ Pour les droits anglo-saxons pratiqués au Royaume-Uni, en Australie, au Canada, aux États-Unis ou en Inde, au contraire, l'engagement verbal et un simple comportement non équivoque peuvent l'emporter sur le document écrit.
□ Enfin, les droits germaniques appliqués en Allemagne, en Autriche, en Suisse et dans les États scandinaves proposent des solutions souvent favorables au vendeur dans un contrat de vente internationale et des dispositions très contraignantes pour l'acheteur. Les frais de justice incombent en totalité au perdant d'un procès.

■■■■■ **Le contenu du contrat international**

□ Tout contrat international doit respecter certaines clauses sous peine qu'elles soient annulées ou soumises à des interprétations différentes des tribunaux ou arbitres ayant à juger le fond de l'affaire. Puisque le contrat international met en présence des personnes de nationalités différentes, les parties auront à mentionner clairement les clauses suivantes :
– la référence à un droit spécifique ;
– le choix d'une langue précise ;
– les règles de formation (lieu de la passation et date de mise en vigueur) ;
– le tranfert des risques en recourant aux incoterms et le tranfert de propriété ;
– la détermination du prix (montant, monnaie de référence, taux de change) ;
– les modalités de paiement et les recours éventuels en cas de retards dûment constatés ;
– la mention de conventions internationales afin de servir de base d'interprétation ;
– les clauses attributives de juridiction ou les clauses d'arbitrage donnant à un arbitre désigné par les parties le soin de juger de l'affaire.
□ Le contrat de vente internationale, la vente transfrontière visant à livrer une marchandise ou fournir un bien, est le contrat international le plus pratiqué dans le commerce mondial. Divers contrats-types très élaborés permettent de réduire la marge d'insécurité propre à toute transaction et sont complétés par des contrats de transport et d'assurance.

LE DROIT COMPARÉ DES CONTRATS

Caractéris-tiques	Droit anglais	Droit américain	Droit français
1. Formation du contrat	– formalité officielle du sceau (*seal*, cercle collé sur un acte : le *deed*) – pas d'écrit en *common law* (principes coutumiers) – volonté de s'engager : claire et précise – acceptation sans condition	• différences de contrats : – *express contract* (oral ou écrit) – *implied-in-fact contract* • échange de volonté des parties = *meeting of the minds* (offre précise, acceptation par tous les moyens mais règle du *mirror image*)	– acceptation du contrat écrit et oral mais difficulté pour démontrer l'existence de ce dernier) – échange de volontés des parties – différentes sortes de contrats (solennel, de gré à gré, d'adhésion…)
2. Théorie de la *consideration*	obligation d'une contre-partie même insuffi-sante	contrepartie qui peut être insuffisante	inconnue en droit français
3. Contenu du contrat	interprétation des clauses par le juge (= procédé de la cons-truction)	– interprétation du contrat dans son intégralité par les tribunaux (règle du *four corners test*) – preuve orale exceptionnelle	– interprétation sommaire des tribunaux lorsque le corps du contrat est obscur – preuve orale : rare
4. Vices du consentement	– erreur : sur l'objet ou les qualités essentielles de l'objet – représentation inexacte des faits (= *misrepresentation*) – violence (= *duress*), dol	– erreur commune des parties – dol, tromperie (= *fraud*) – violence physique et morale – notion de contrats injustes	– erreur – violence (physique et morale) – dol (tromperie)
5. Effets du contrat	– si inexécution (= *breach of contract*) : dommages et intérêts en *common law* et exécution en nature selon l'*equity* – force majeure libératoire (= *frustration of contract*) – théorie de l'*estoppel* (comportement de son cocontractant pris en compte par le juge) – ni le préjudice ni le lien de causalité à prouver	– versement de dommages et intérêts (= *damages*) – exécution en nature (= *specific performance*)	– versement de dommages et intérêts – exécution forcée – exécution en nature

SOURCES

INSTITUTIONS

PERSONNES

DOMAINE PUBLIC

ÉCONOMIE

CONFLITS

Les conflits de lois

Pour réglementer l'exercice des droits dans la société internationale, il faut déterminer, lorsque plusieurs États sont intéressés par une situation, celui dont la loi s'appliquera. Les hypothèses sont nombreuses et les solutions retenues dépendent des situations juridiques visées.

▬▬▬ Le droit public et le droit pénal

Le conflit de lois repose sur le consentement ou le refus à appliquer la loi étrangère. En droit public et en droit pénal, le conflit de lois n'existe pas. Si la loi française est incompétente, le juge français se déclare lui-même incompétent, par exemple en cas de meurtre commis à l'étranger : si la loi française n'est pas applicable, l'auteur de ce crime ne sera pas punissable en France.

▬▬▬ Le droit privé

☐ En droit privé, les lois entre États différents sont en conflit. Ainsi, quand le juge français est compétent, il doit rechercher la loi qui s'applique à la situation juridique envisagée. Cette loi n'est pas nécessairement la loi française. C'est au législateur qu'il appartient d'élaborer les règles de conflits. La doctrine et la jurisprudence complètent et éclairent cette œuvre législative.

☐ En l'absence de sources internationales (traités ou conventions), le législateur a cherché à concilier les intérêts de la collectivité nationale (exemple : l'ordre public) et les besoins de la vie internationale (exemple : coordination de systèmes juridiques éloignés). Les solutions retenues prennent en compte : la personne (son domicile ou sa nationalité), la chose (sa situation), l'événement (acte ou fait juridique) et les règles de procédure.

▬▬▬ Interprétation des règles de conflit

☐ La question de savoir quelle règle de conflit doit s'appliquer est essentielle : la détermination du point de rattachement résout cette difficulté. Ce point de rattachement est l'élément désignant la loi applicable. La jurisprudence française a statué sur des cas souvent litigieux.

☐ Les solutions retenues en France par le législateur sont les suivantes :
– l'état et la capacité des personnes sont soumis à la loi nationale ;
– les biens sont régis par la loi de leur situation physique;
– les contrats sont réglés par la loi choisie par les parties ;
– les faits juridiques sont régis par la loi du lieu où ils surviennent ;
– la forme des actes est gouvernée par la loi du lieu où ils sont passés (*locus regit actum*) ;
– la procédure est soumise à la loi du tribunal saisi ;
– le régime matrimonial est régi par la loi choisie par les parties avec préférence pour la loi du premier domicile ;
– les successions : pour les meubles, c'est la loi de leur situation qui est retenue; pour les immeubles, la loi du domicile du défunt s'applique.

LES CONFLITS DE LOIS AU QUOTIDIEN

■ Position du problème

Le conflit de lois – composé du conflit de lois dans l'espace et dans le temps – est un conflit de compétences législatives. Il s'agit de rendre effectif l'exercice des droits des individus lorsqu'ils sont confrontés à des réalités et des situations juridiques qui dépassent leurs frontières nationales.

Il existe également le conflit dit « mobile », qui combine les éléments espace-temps. Par exemple, un Irlandais obtient la nationalité française. La loi française admet le divorce, la loi irlandaise le refuse : l'Irlandais, naturalisé français, peut-il divorcer, alors que la loi sous l'empire de laquelle il a contracté mariage interdit le divorce ?

La doctrine est souvent à l'origine des solutions apportées aux conflits de lois.

■ Un décès

Des époux maltais émigrent en France. Au décès du mari, la veuve réclame une part de ses biens. Quelle est la nature juridique de sa revendication ? Le rattachement matrimonial conduit à appliquer la loi maltaise, la loi du domicile matrimonial. La qualification successorale mène à la loi française, la loi de la situation des immeubles et du domicile du défunt. Le juge saisi de l'affaire retient le point de rattachement se rapprochant d'une réalité vécue : la loi française en l'espèce.

■ Un accident

Un accident de circulation survient en Espagne entre deux Français. Faut-il retenir la loi française si les deux parties ont cette même nationalité ? Ou vaut-il mieux retenir la loi du lieu de l'accident ? C'est ce deuxième point de rattache-ment que le droit international privé applique. En effet, il est plus neutre, plus objectif et s'applique à toute situation plus complexe. Ainsi, lorsqu'un litige oppose dans le même État deux ou plusieurs conducteurs de nationalités différentes, un Italien, un Belge et un Français, quelle serait la nationalité retenue en vertu de la première solution ? Laquelle prévaudrait ? On voit l'intérêt, pour le juge saisi de l'affaire, de rattacher le litige à une solution de type universel, valable quelle que soit la nationalité des plaideurs.

■ Un mariage

Un mariage civil est célébré en France entre un Grec orthodoxe et une Française : le droit grec exige, contrairement au droit français, une célébration religieuse : selon quelle loi le mariage sera-t-il validé par le juge saisi de l'affaire ? Si l'on considère qu'il s'agit d'une question de forme, c'est la loi française qui est applicable (loi du lieu de célébration) ; à l'inverse, si l'on estime qu'il s'agit d'une question de fond, c'est la loi grecque qui s'applique (loi nationale). Le droit international privé français retiendra la loi française puisqu'il s'agit d'une question relevant de la question « état et capacité des personnes ».

SOURCES

INSTITUTIONS

PERSONNES

DOMAINE PUBLIC

ÉCONOMIE

CONFLITS

Les conflits de juridictions en droit français

On parle de « droit privé international » lorsqu'un litige comporte des éléments de nature internationale. La question recouvre la compétence et les effets des jugements étrangers.

■■■■■ La notion de compétence internationale

□ Le Code civil (art. 14 et 15) dispose que les tribunaux français sont compétents pour toutes les actions patrimoniales et extra-patrimoniales « chaque fois qu'une personne française est partie à un litige comme demandeur ou défendeur ». Il s'agit, d'une part, d'une compétence exclusive qui fait échec à la compétence des tribunaux étranger et, d'autre part, d'une compétence facultative puisque le plaideur français peut toujours y renoncer.

□ Les tribunaux français se déclarent compétents pour connaître des litiges entre étrangers notamment quand un des critères de compétence territoriale se situe en France (domicile du défendeur, lieu de commission d'un délit, situation d'un immeuble…).

□ Toutefois, échappent à la compétence de la justice française et bénéficient donc d'une immunité de juridiction :
– les souverains, chefs d'État ou de gouvernement étrangers ;
– les agents diplomatiques étrangers.

■■■■■ Les effets des jugements étrangers

□ Une décision de justice rendue par un tribunal étranger ne peut donner lieu à exécution en France sans avoir été au préalable déclarée exécutoire par un tribunal de grande instance français à la suite d'une action en *exequatur*. L'exequatur est la décision par laquelle le tribunal donne aux jugements et actes publics étrangers (actes reçus par les officiers étrangers) force exécutoire en France. Les tribunaux français sont conduits à vérifier la régularité des jugements étrangers établie en quatre points dans deux arrêts de la Cour de cassation (affaires Munzer du 7 janvier 1964 et Bachir du 4 octobre 1967) :
– la compétence du juge étranger ;
– la compétence de la loi retenue qui est celle applicable selon les principes français de droit judiciaire privé international ;
– le respect de l'ordre public concernant le fond de l'affaire (solution inacceptable en droit français), ainsi qu'en matière de procédure (le non-respect des droits de la défense ou l'absence de motivation de la décision rendue) ;
– l'absence de fraude à la loi.

□ La France a conclu de nombreux traités bilatéraux tendant à reconnaître et exécuter les jugements étrangers. La convention de Bruxelles du 27 septembre 1968 consacre, pour les questions civiles et commerciales, un contrôle limité de la décision étrangère.

LE PROCÈS EN EUROPE

France	• Le Président examine les preuves avancées. • Le jugement est lu en public. • En principe, il y a comparution personnelle du prévenu. • La victime est partie au procès. • La procédure de référé (d'urgence) existe.
Allemagne	• Le Procureur lit l'acte d'accusation. • La victime fait valoir ses droits, mais ne reçoit pas de dommages-intérêts. • Il n'y a pas de garde à vue. • Il n'y a pas de juge d'instruction. • Le référé n'existe pas.
Italie	• Le prévenu peut plaider coupable pour éviter de comparaître devant le tribunal. • La procédure de référé n'existe pas.
Espagne	• La procédure est abrégée (juge unique) pour la petite délinquance. • L'expertise psychiatrique est fréquente. • L'enquête est menée par le Parquet et la Police. • Le jugement est publié. • La procédure de référé existe.
Grande-Bretagne	• Les jurés se prononcent sur la culpabilité et l'audience reprend pour les plaidoiries sur la peine. • Le casier judiciaire du prévenu ne peut être évoqué. • Si le prévenu plaide coupable, sa peine sera diminuée de 25 %. • La procédure de référé n'existe pas.
Pays-Bas	• La procédure est rapide et souple (peu de formalisme). • Tout inculpé a droit à l'anonymat avant sa condamnation. • Le jugement est publié. • La procédure de référé existe.
Portugal	• Magistrats et avocats font précéder leurs interventions de longues introductions sur les chefs d'inculpation. • Des dommages-intérêts sont versés à la victime. • La procédure de référé n'existe pas.

SOURCES
INSTITUTIONS
PERSONNES
DOMAINE PUBLIC
ÉCONOMIE
CONFLITS

Les réfugiés dans le monde

Tragédie planétaire, le drame des réfugiés concerne tous les continents. Cela touchait 1 million de personnes en 1951, 8 millions en 1980, 18 millions en 1991 et près de 20 millions en 1993, avec la guerre dans l'ex-Yougoslavie et la multiplication des guerres civiles en Afrique.

▬▬▬ Leur situation juridique internationale

Personnes privées et souvent particulièrement isolées, les réfugiés sont des individus qui fuient leur pays pour des raisons politiques (guerres d'indépendance, répressions internes comme en Éthiopie…) et se trouvent ainsi sans protection diplomatique. D'un point de vue juridique, les réfugiés sont soumis à la loi de l'État d'accueil, tout comme les apatrides qui sont privés de nationalité. Des conventions internationales, comme celles de 1951 pour les réfugiés interdisant tout rapatriement non volontaire et de 1954 pour les apatrides, organisent leurs droits et leur assurent un traitement d'étrangers privilégiés. C'est de cette situation humaine intolérable que le droit international public tire son nom de « droit des gens ».

▬▬▬ La France et les réfugiés

En France, le statut de réfugié donne droit à l'obtention d'une carte de résidence valable 10 ans et renouvelable. Cette carte permet à son titulaire de travailler ou de s'inscrire au chômage. En outre, le réfugié bénéficie d'un passeport, valable 2 ans, ne lui donnant cependant pas accès à son pays d'origine. L'Office français de protection des réfugiés et apatrides (OFPRA), créé en 1952, est chargé d'étudier les dossiers de demandes d'asile en France. Les demandes d'asile en France varient constamment (55 000 en 1990 et 29 000 en 1992), alors que les bénéficiares du statut de réfugié diminuent régulièrement (13 000 en 1990).

▬▬▬ Protection internationale des réfugiés

□ Au niveau international, le Haut-Commissariat des Nations unies pour les réfugiés (HCR), créé en 1951, est chargé de porter secours aux réfugiés dont le nombre croissant place cet organisme au centre de l'actualité internationale. 2000 fonctionnaires travaillent pour le Haut-Commissariat et 30 personnes sont affectées à la division principale chargée du « droit des réfugiés et doctrine ». Cette division s'occupe notamment des « personnes déplacées » qui fuient devant les armées lors d'opérations militaires, de coups de force ou de guérillas, comme c'est le cas au Cambodge, en Afghanistan ou au Soudan.

□ Le HCR et le Comité international de la Croix-Rouge éprouvent de graves difficultés financières. Les États donateurs ont d'autres priorités (la lutte contre la drogue, le sida et la pollution) et toutes leurs contributions volontaires s'en ressentent. Le budget du HCR accuse un déficit de 130 millions de dollars.

LE MONDE DES RÉFUGIÉS

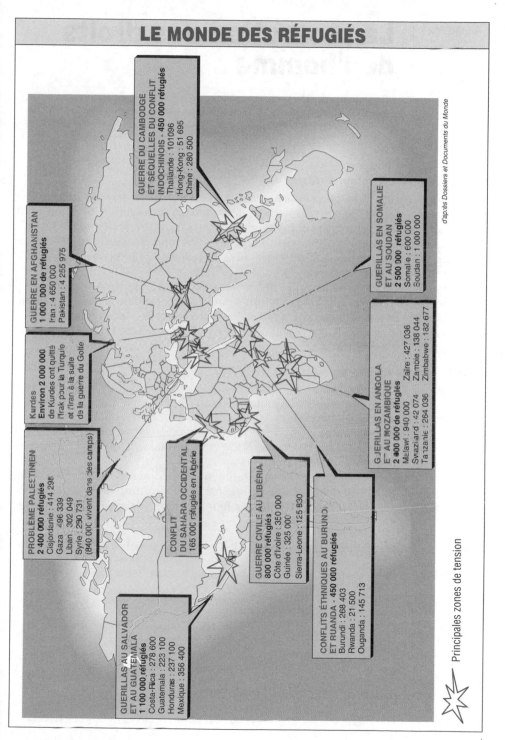

d'après Dossiers et Documents du Monde

**GUERRE DU CAMBODGE
ET SÉQUELLES DU CONFLIT
INDOCHINOIS - 450 000 réfugiés**
Thaïlande : 101096
Hong-Kong : 51 695
Chine : 260 500

**GUERRE EN AFGHANISTAN
1 000 000 de réfugiés**
Iran : 4 650 000
Pakistan : 4 255 975

**Kurdes
Environ 2 000 000**
de Kurdes ont quitté
l'Irak pour la Turquie
et l'Iran à la suite
de la guerre du Golfe

**PROBLÈME PALESTINIEN
2 400 000 réfugiés**
Cisjordanie : 414 298
Gaza : 496 339
Liban : 302 049
Syrie : 290 731
(840 000 vivent dans des camps)

**CONFLIT
DU SAHARA OCCIDENTAL**
165 000 réfugiés en Algérie

**GUERILLAS EN SOMALIE
ET AU SOUDAN
2 500 000 réfugiés**
Somalie : 600 000
Soudan : 1 000 000

**GUERILLAS EN ANGOLA
ET AU MOZAMBIQUE
2 000 000 de réfugiés**
Malawi : 940 000   Zaïre : 427 036
Swaziland : 42 074   Zambie : 138 044
Tanzanie : 264 036   Zimbabwe : 182 677

**GUERRE CIVILE AU LIBÉRIA
800 000 réfugiés**
Côte d'Ivoire : 350 000
Guinée : 325 000
Sierra-Leone : 125 830

**CONFLITS ETHNIQUES AU BURUNDI
ET RUANDA - 450 000 réfugiés**
Burundi : 268 403
Rwanda : 21 500
Ouganda : 145 713

**GUERILLAS AU SALVADOR
ET AU GUATEMALA
1 100 000 réfugiés**
Costa-Rica : 278 600
Guatemala : 223 100
Honduras : 237 100
Mexique : 356 400

Principales zones de tension

73

| SOURCES |
| INSTITUTIONS |
| PERSONNES |
| DOMAINE PUBLIC |
| ÉCONOMIE |
| CONFLITS |

La protection des droits de l'homme

La normalisation entre l'Ouest et le bloc de l'Est trouve son aboutissement dans la réunion paneuropéenne d'Helsinki : la Conférence sur la Sécurité et la Coopération en Europe (CSCE).

■ Le premier sommet d'Helsinki

□ En 1954, à Berlin, Moscou propose une conférence paneuropéenne de sécurité collective afin d'empêcher le réarmement allemand. La proposition est rejetée par les États-Unis, le Royaume-Uni et la France. Il faudra attendre le début des années soixante-dix et surtout les travaux préparatoires des ambassadeurs en 1972 et les réunions des ministres des Affaires étrangères de juillet 1973 à Helsinki pour que la CSCE prenne forme.

□ Le 1er août 1975, dans la capitale finlandaise, 35 États (33 pays d'Europe, sauf l'Albanie, plus les États-Unis et le Canada) signent l'Acte final de la CSCE. Ce document consacre, trente années après les accords de Yalta, la coexistence pacifique entre États à régimes politique et économique opposés. L'Acte final pose le principe du maintien territorial et représente un véritable code de la détente.

■ Le code de la détente

L'Acte se divise en trois grandes parties dénommées « corbeilles ».

□ La première corbeille concerne l'égalité des États, l'inviolabilité des frontières, le règlement pacifique des différends et le respect des droits de l'homme et des libertés fondamentales (exemple : la liberté de pensée, de conscience, de religion).

□ La deuxième corbeille traite de coopération commerciale, de projets industriels communs, des transports et du tourisme.

□ La troisième corbeille traite de la coopération dans les domaines humanitaires et prévoit la multiplication des échanges culturels, l'amélioration de la diffusion de l'information et la solution des problèmes humanitaires (exemple : réunion des familles).

■ Les suites de l'accord d'Helsinki : les conférences-bilan de l'Acte final

2e conférence sur la CSCE	4 septembre 1977 - 9 mars 1978 à Belgrade	échec des négociations, aucun accord
3e conférence sur la CSCE	11 novembre 1980 - 9 septembre 1983 à Madrid	refus occidental d'institutionnaliser la CSCE
Sommet de l'OTAN	5-6 juillet 1990 à Londres	acceptation du principe d'institutionnaliser la CSCE
2e sommet de la CSCE	19-21 novembre 1990 à Paris	signature de la Charte de Paris pour une nouvelle Europe : fin de la guerre froide et création d'instances donnant à la CSCE un caractère permanent et institutionnel
3e sommet de la CSCE	9-10 juillet 1992 à Helsinki	52 États membres : envoi de navires de l'OTAN et de l'UEO pour assurer le blocus maritime de la Serbie

LA DÉCLARATION UNIVERSELLE DES DROITS DE L'HOMME

■ Historique

Toute société organisée doit garantir les droits fondamentaux de la personne humaine. Il faut attendre la fin du second conflit majeur du XXe siècle pour qu'un texte international de portée générale soit promulgué en matière de droits de l'homme. L'ONU dès 1945 a chargé une commission d'élaborer un texte international sur les droits de l'homme.

Après trois années de consultations, la commission présente la version définitive de la « Déclaration universelle des droits de l'homme », adoptée par l'Assemblée générale des Nations unies par 48 États, le 10 décembre 1948 (abstention de l'Arabie Saoudite, de l'Afrique du Sud et des États communistes).

■ Contenu de la déclaration

Cette déclaration, qui n'a pas de valeur juridique obligatoire pour les États, comprend 30 articles au contenu assez court et simple. Tous les aspects humains fondamentaux — penser, apprendre et communiquer — sont couverts par cette déclaration : l'égalité, la liberté (de penser, de religion, de se déplacer, de se réunir...), l'intégrité physique, le droit à une nationalité, le droit à l'éducation, le droit au travail, etc. La protection internationale des droits de l'homme a été par la suite renforcée, dans un contexte d'affrontement Est-Ouest et de décolonisation, par deux pactes plus précis que la Déclaration universelle. En effet, en 1966, l'Assemblée générale de l'ONU adopte : le « Pacte relatif aux droits économiques et sociaux », largement souhaité par les États socialistes, et le « Pacte consacré aux droits civils et politiques », qui donne satisfaction aux pays capitalistes occidentaux.

■ Extraits de la déclaration

Préambule

Considérant que la reconnaissance de la dignité inhérente à tous les membres de la famille humaine et de leurs droits égaux et inaliénables constitue le fondement de la liberté, de la justice et de la paix dans le monde ; [...]

L'Assemblée générale

Proclame la présente déclaration universelle des droits de l'homme comme l'Idéal commun à atteindre par tous les peuples et toutes les nations afin que tous les individus et tous les organes de la société, ayant cette Déclaration constamment à l'esprit, s'efforcent, par l'enseignement et l'éducation, de développer le respect de ces droits et libertés et d'en assurer, par des mesures progressives d'ordre national et international, la reconnaissance et l'application universelles et effectives, tant parmi les populations des États membres eux-mêmes que parmi celles des territoires placés sous leur juridiction.

Article premier

Tous les êtres humains naissent libres et égaux en dignité et en droits. Ils sont doués de raison et de conscience et doivent agir les uns envers les autres dans un esprit de fraternité.

SOURCES
INSTITUTIONS
PERSONNES
DOMAINE PUBLIC
ÉCONOMIE
CONFLITS

Les organisations non gouvernementales

Phénomène ancien, les organisations non gouvernementales (ONG) ont connu une expansion considérable au XXᵉ siècle avec la multiplication des échanges et des communications.

▬▬▬ Une extrême diversité

☐ Une ONG est une institution créée par une initiative privée regroupant des personnes de nationalités diverses en vue d'exercer une action sur le cours des relations internationales.

Les ONG ne sont pas composées d'États. Ce sont des groupements ou mouvements sans but lucratif, créés librement par des particuliers et exprimant une solidarité internationale. Leur statut juridique diffère selon l'acteur qui les perçoit.

☐ Il existe plus de 5 000 ONG qui sont classées selon plusieurs critères : leur objet, le nombre de leurs adhérents ou l'importance de leur rôle. Ces organisations exercent ainsi leurs missions dans les secteurs les plus divers: politique, social, juridique, scientifique, syndical (exemple : la Confédération internationale des syndicats libres créée en 1949), technique (exemple : SOS Sahel), sanitaire (exemple : en 1971, Médecins sans frontières), humanitaire (exemple : la Croix-Rouge), religieux (exemple : en 1948, à Amsterdam, création du Conseil œcuménique des Églises), sportif, touristique…

▬▬▬ Associations de droit interne

Chaque ONG est rattachée par son siège à un État qui les considère comme de simples associations internes ayant les mêmes contraintes et obéissant au même régime que les associations nationales. Les ONG n'ont ni la personnalité morale, ni la capacité internationale. En effet, il n'y a pas de texte international règlementant leurs activités. Mais la nature transnationale est parfois prise en considération par l'État qui peut accorder à l'ONG un statut privilégié compte tenu de sa spécificité et de ses besoins ; c'est le cas de la France et de la Belgique qui abritent de nombreuses ONG.

▬▬▬ ONG et organisations internationales

☐ En raison de leur rôle international essentiel, les organisations internationales entretiennent avec les ONG des relations très étroites. Les ONG les plus importantes bénéficient d'un statut consultatif auprès du Conseil économique et social de l'ONU (Ecosoc) et d'autres organisations internationales, comme le Conseil de l'Europe ou l'Organisation des États américains. Plusieurs centaines d'organisations non gouvernementales disposent d'un statut consultatif auprès de nombreuses instances internationales (OIT, UNESCO, OACI…).

☐ Par conséquent, les relations internationales ne se limitent pas aux rapports interétatiques et à ceux entretenus entre les États et les organisations internationales : les ONG deviennent progressivement des acteurs influents du jeu international.

■ La Croix-Rouge internationale : une ONG spécifique

Créée en 1863 par le Suisse Henri Dunant, la Croix-Rouge est une association de droit suisse, reconnue par les conventions internationales de Genève sur le droit humanitaire (1949) et par les protocoles de 1977. La Croix-Rouge poursuit l'objectif de faire respecter et promouvoir le droit humanitaire par les États en temps de guerre, qu'elle soit internationale ou civile.

Depuis 1945 surtout, cette ONG emblématique regroupant 150 sociétés nationales (comme le Croissant-Rouge dans les pays musulmans) est intervenue sur tous les théâtres d'affrontements dans le monde. La Croix-Rouge française également très active compte 14 000 permanents, 100 000 volontaires et quelque 600 000 adhérents.

La Croix-Rouge est statutairement constituée de 3 organisations distinctes :
— les sociétés nationales de la Croix-Rouge (ou du Croissant-Rouge), indépendantes de leurs gouvernements respectifs ;
— la ligue des sociétés de la Croix-Rouge, qui est une sorte de fédération mondiale des sociétés nationales, et dont la mission est de coordonner leur action en temps de paix ;
— le Comité international de la Croix-Rouge (CICR), société au statut privé de droit helvétique. Concernant cette dernière organisation, qui est en fait l'organe international de la Croix-Rouge, les décisions sont prises par un comité directeur composé de 25 citoyens helvétiques — dont 6 membres constituent le conseil exécutif — recrutés par cooptation.

■ Les ONG humanitaires françaises et étrangères

De nombreuses ONG françaises et internationales œuvrent à travers la planète au service des populations les plus déshéritées :
— Le Comité catholique contre la faim et pour le développement ;
— Médecins sans frontières (MSF) ;
— Handicap international, qui appareille les amputés et porte secours aux personnes dont le squelette souffre trop des privations alimentaires ;
— L'AICF, qui lutte contre la faim dans le monde ;
— SOS Sahel, qui agit contre le manque d'eau.

■ Les ONG relatives à la jeunesse

Les jeunes de tous les pays ont éprouvé le besoin de se concerter régulièrement. Parmi les ONG les plus dynamiques, on peut citer : la Fédération mondiale de la jeunesse démocratique (FMJD), l'Assemblée mondiale de la jeunesse (AMJ).

L'évolution du nombre des organisations non gouvernementales	
1909 176	1960 1268
1945 560	1970 2296
1951 832	1986 3050
1954 1008	1990 3120
1958 1073	1992 5000

SOURCES
INSTITUTIONS
PERSONNES
DOMAINE PUBLIC
ÉCONOMIE
CONFLITS

Océans et mers

Le domaine public international englobe la mer et les océans, les fleuves, l'espace aérien et l'espace extra-atmosphérique. Le droit international définit les espaces maritimes comme des étendues d'eau salée, en communication libre et naturelle. Les océans et les mers sont l'objet d'âpres convoitises de la part des États.

La formation du droit de la mer

D'origine coutumière, le droit de la mer a évolué grâce aux travaux de la Commission du droit international qui ont servi à l'adoption de quatre conventions en 1958 à Genève. La capitale helvétique a servi de cadre à trois conférences sur le droit de la mer en 1958, 1973 et 1982. Ce droit, très pragmatique, est remis en cause sous l'influence de plusieurs facteurs :
– l'évolution technologique (risque de pollutions graves, recherche scientifique) ;
– la conservation des ressources halieutiques ;
– les considérations économiques (exemples : plate-forme *off shore*, richesses minières : les nodules polymétalliques) ;
– les revendications politiques des pays en développement.
La convention sur le droit de la mer (320 articles et 8 annexes), élaborée sous les auspices des Nations unies, a été signée à Montego Bay (Jamaïque) le 10 décembre 1982 et doit obtenir 60 ratifications pour entrer en vigueur.

Le droit international de la mer

☐ Très complexe, la convention de 1982 met l'accent sur neuf zones maritimes différentes, chacune obéissant à un régime juridique propre. Ce texte cherche à parvenir à un juste équilibre entre le nationalisme côtier et l'internationalisation de l'espace maritime, exigence du tiers-monde. Les cinq premiers thèmes sont discutés depuis 1958 : les eaux intérieures, les eaux territoriales, la zone contiguë, le plateau continental et la haute mer.
☐ Quatre autres zones ont fait l'objet d'âpres discussions au cours de la troisième conférence des Nations unies sur le droit de la mer et marquent un véritable tournant dans la terminologie maritime internationale. Il s'agit de la zone économique exclusive des détroits internationaux, des eaux archipélagiques (exemple : les Philippines) et du fond des mers.

Une nouvelle approche du droit de la mer

Si les conventions de 1958 ont été préparées par des juristes, en l'occurrence la Commission du droit international, les principes fondamentaux dégagés par la convention de Montego Bay de 1982 ont été élaborés par un organe politique de l'ONU, le Comité des fonds marins (représentants d'États membres). Cette tendance à la « politisation » des questions maritimes évoquées au cours des conférences sur le droit de la mer n'est que le reflet des revendications contradictoires des États côtiers et/ou des puissances maritimes.

LES ZONES MARITIMES

Les États côtiers jouissent de droits, reconnus par le droit international, qui diminuent à mesure que l'on s'éloigne du rivage.

■ Les eaux intérieures

Il s'agit essentiellement des ports, baies et estuaires de taille raisonnable. L'État côtier y est souverain. Les navires étrangers, même civils, ne peuvent y pénétrer que s'ils en ont reçu l'autorisation. Cette règle s'applique au survol par les aéronefs.

■ La mer (ou les eaux) territoriale

Mesurée vers le large à partir de « lignes de base » (limite externe des eaux intérieures), la mer territoriale s'étendait sur des distances variant selon les États côtiers : de 3 milles nautiques (5,55 km) pour les États-Unis à 200 milles nautiques (370,4 km) pour le Pérou, entre autres. La limite la plus fréquente était de 12 milles nautiques (22,22 km). C'est celle que la France a adoptée en 1971. Désormais, la mer territoriale ne peut excéder ces 12 milles. L'État côtier jouit, dans sa mer territoriale, de droits impor-

tants, mais il n'y est pas entièrement souverain, comme dans ses eaux intérieures. Il est obligé de tolérer le passage inoffensif de tous les navires étrangers.

■ Les eaux internationales ou haute mer

Les océans et les mers, au-delà des zones relevant des divers régimes juridiques énumérés ci-dessus, n'appartiennent à personne. Tout le monde peut y circuler, les survoler, y pratiquer la recherche scientifique et la pêche.

■ La zone économique exclusive

Elle s'étend jusqu'aux 200 milles nautiques des « lignes de base », soit à 188 milles au-delà des mers territoriales de 12 milles. L'État côtier y jouit de droits souverains et exclusifs sur les ressources vivantes et minérales des eaux, du sol et du sous-sol. Il dispose aussi de divers droits afin de combattre la pollution de la mer et de réglementer la recherche scientifique. Mais la navigation et le survol pour les navires et aéronefs civils et militaires y sont aussi libres qu'en haute mer.

■ Schéma des zones maritimes

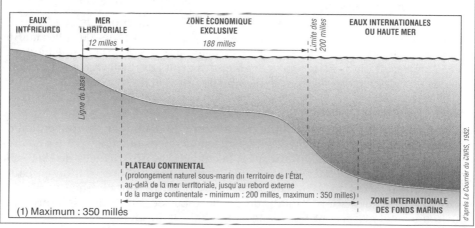

EAUX INTÉRIEURES — MER TERRITORIALE — ZONE ÉCONOMIQUE EXCLUSIVE — Limite des 200 milles — EAUX INTERNATIONALES OU HAUTE MER

12 milles — 188 milles

Ligne de base

PLATEAU CONTINENTAL
(prolongement naturel sous-marin du territoire de l'État, au-delà de la mer territoriale, jusqu'au rebord externe de la marge continentale - minimum : 200 milles, maximum : 350 milles)

ZONE INTERNATIONALE DES FONDS MARINS

(1) Maximum : 350 milles

d'après Le Courrier du CNRS, 1982.

SOURCES

INSTITUTIONS

PERSONNES

DOMAINE PUBLIC

ÉCONOMIE

CONFLITS

Haute mer et mer territoriale

Principale zone maritime, la haute mer est marquée par le principe traditionnel de liberté, réduit depuis 1982, alors que la mer territoriale repose sur le principe de souveraineté de l'État côtier. Ces deux principes antagonistes se rejoignent grâce à la zone économique exclusive.

Le régime juridique de la haute mer

☐ La haute mer est libre. Elle représente l'espace maritime s'étendant au-delà des eaux intérieures et de la mer territoriale des États. En conséquence, les libertés de survol, de navigation ou de pêche sont reconnues.

☐ Cependant, la convention sur le droit de la mer de 1982 défend la notion de coopération internationale en matière de recherche scientifique et de protection du milieu marin. La convention souligne que les fonds marins sont *patrimoine commun de l'humanité*. Cette zone est placée sous le contrôle d'une autorité internationale dont le siège est à la Jamaïque, et qui est chargée de vérifier les activités et exploitations menées dans les fonds marins.

Le régime juridique de la mer territoriale

☐ Les eaux territoriales, espace maritime (étendu à 12 milles marins en 1971 en France) situé entre le territoire et les eaux intérieures d'un État d'une part, et la haute mer d'autre part, reposent sur le principe de la souveraineté de l'État côtier. Cette souveraineté permet à l'État côtier d'y exercer des compétences exclusives de police, de douanes et de contrôler la nappe d'eau, le sous-sol et l'espace aérien.

☐ Pourtant, la souveraineté de l'État côtier sur sa mer territoriale est limitée par deux règles coutumières reprises par la convention de 1982 : le libre passage *inoffensif*, c'est-à-dire le passage paisible des navires étrangers de commerce ou de guerre (entrée, sortie ou transit), et le séjour temporaire des navires étrangers.

La zone économique exclusive

La convention de 1982 consacre la notion de zone économique exclusive (ZEE) au-delà de la mer territoriale et adjacente à celle-ci. Sa largeur est de 200 milles marins à partir de la ligne de base des eaux territoriales, soit 188 milles (1 mille nautique = 1 852 mètres). L'État côtier peut y exercer des droits exclusifs comme l'exploration ou l'exploitation des ressources du fond des mers et de son sous-sol.

La pollution maritime

Des accords luttent contre la pollution des mers ; on peut citer : la convention de Londres de 1973 qui règlemente les rejets de substances nuisibles par les navires (exemples : hydrocarbures, ordures…) ; la convention de Bruxelles de 1969 et le protocole de Londres (1973) qui reconnaissent le droit d'intervention en haute mer lorsqu'un accident peut entraîner une pollution par hydrocarbures ; convention de Paris pour l'Atlantique du Nord-Est de 1974 qui vise à protéger l'environnement marin contre les dangers d'origine tellurique.

LES CONTENTIEUX DE LA ZONE MARITIME

■ Les enjeux

Les rivalités souvent âpres relatives aux zones maritimes des États sont nombreuses. Elles s'expliquent aisément. Les enjeux sont d'abord politiques. Les portions de mer constituent le prolongement naturel du territoire terrestre, ce qui permet aux États de posséder des étendues sur lesquelles ils peuvent exercer leur souveraineté (exemples : expériences nucléaires, recherches scientifiques, faire état d'une façade maritime pour la circulation des navires battant pavillon national très utile lors d'escales, etc.).

Les revendications nationales ont évidemment aussi des fondements économiques. Une mer « nationale » étendue permet d'abord aux pêcheurs du pays en question d'exercer pleinement leur métier. Mais, surtout, la zone maritime autorise son exploitation, c'est-à-dire la recherche de richesses qui peuvent faire défaut sur la terre ferme (exemples : le pétrole en mer du Nord pour la Grande-Bretagne ou le gaz pour la Norvège). Enfin, le fond du plateau continental renferme des richesses minérales gigantesques, même s'il est vrai que leur exploitation pose des problèmes techniques et financiers. En dernier lieu, des motivations historiques — le rattachement supposé ancestral à la mère patrie, par le lien maritime — peuvent expliquer certaines revendications parfois virulentes (exemple : les Falklands, pour l'Argentine).

■ De nombreux litiges, pas tous résolus

Plusieurs contentieux maritimes enveniment encore les relations inter-étatiques. On peut citer les différends suivants :

— le contentieux gréco-turc en mer Égée ;
— les rochers Liancourt en mer de Chine occupés depuis 1954 par la Corée du Sud, mais revendiqués par le Japon ;
— la controverse opposant le Japon aux États-Unis à propos de la souveraineté sur des îlots situés au sud d'Okinawa ;
— l'affaire du chenal de Beagle opposant le Chili à l'Argentine.

■ Le contentieux des îles Kouriles

Les îles Habomaï, Shikotan, Kounachir, Etorufu et l'archipel des Kouriles (« les territoires du Nord ») sont peuplés de Japonais, mais occupés par l'URSS (puis la Russie, qui lui a succédé dans ses droits) depuis 1945.

Moscou estime que sa souveraineté est fondée sur les accords de Yalta du 11 février 1945 et sur le traité de paix signé à San Francisco le 8 septembre 1951, selon lequel « le Japon renonce à tous les droits, titres et revendications sur les îles Kouriles ».

De leur côté, les Japonais font valoir que l'archipel dans son ensemble leur appartenait depuis 1875. D'autre part, il est relevé que les îles Habomaï et Shikotan sont très proches de l'île la plus septentrionale du Japon, d'Hokkaïdo. D'ailleurs, fait remarquer Tokyo, en 1956, Khrouchtchev avait promis de restituer ces deux îles au Japon en échange d'un traité de paix bilatéral.

Outre l'aspect stratégique, l'enjeu est d'importance. Il s'agit du droit d'exploiter le plateau continental de cette région et de l'exercice du droit de pêche dans des eaux très poissonneuses. La disparition de l'URSS permettra-t-elle de trouver une solution honorable et acceptable au litige par les deux protagonistes ?

SOURCES

INSTITUTIONS

PERSONNES

DOMAINE PUBLIC

ÉCONOMIE

CONFLITS

Les fleuves internationaux

Sous l'influence des transformations économiques et techniques, le congrès de Vienne pose, dans son Acte final du 9 juin 1815, le principe de liberté de navigation commerciale sur les fleuves internationaux. Le statut juridique des fleuves internationaux est très marqué par la notion de coopération entre États riverains.

Leur régime juridique

Les fleuves internationaux sont des cours d'eaux qui séparent, longent ou traversent des territoires étatiques. La convention de Barcelone de 1921 codifie les principes généraux coutumiers et organise les règles suivantes : la liberté d'utilisation, la liberté de navigation et l'égalité de traitement entre les navires, quelle que soit leur nationalité. Cet engagement international reconnaît la légalité des taxes pour services rendus et établit les obligations incombant aux États riverains, parmi lesquelles on trouve :
– la réalisation de travaux d'ouvrages et d'entretien ;
– la levée d'obstacles matériels ou immatériels à la navigation (par exemple, de nature fiscale ou règlementaire) ;
– l'enlèvement des épaves entravant la navigation.

Les tendances actuelles

Les tendances actuelles du régime juridique des fleuves internationaux s'orientent à la fois vers une régionalisation de la gestion des fleuves (réservée aux États riverains) et la gestion internationale des risques nouveaux comme le problème de la pollution transfrontières (exemple : la pollution du Rhin par l'exploitation des mines de potasse d'Alsace).

L'internationalisation des fleuves

□ L'autre particularité des fleuves est la multiplication des régimes conventionnels admettant non seulement les États riverains mais aussi des États non riverains intéressés par la gestion du fleuve (exemple : le Rhin).
□ Ces conventions spécifiques n'empêchent cependant pas l'apparition de différends internationaux comme dans l'arbitrage dans l'affaire du lac Lanoux, 16 novembre 1957. Cette affaire, à propos de l'utilisation des eaux du lac Lanoux dont les sources sont situées en France et qui forme une rivière dont le cours est en Espagne, applique les principes relatifs aux fleuves internationaux en matière d'exploitation des eaux. En effet, la sentence arbitrale rendue dans ce litige permet à la France d'aménager les forces hydrauliques puisque le lac en question se trouve sur son territoire, mais en précisant qu'elle doit sauvegarder les intérêts des États voisins et agir de bonne foi.

■ Historique

Presque toutes les grandes civilisations ont compris l'utilité d'un fleuve. Elles se sont d'abord installées le long des fleuves, avant de se tourner vers les mers et océans.

Assez rapidement — dès le XIXᵉ siècle, pour les grandes puissances euro-péennes, en ce qui concerne le Rhin, le Danube, la Meuse ou l'Escaut — les États traversés par un même fleuve ont cherché à développer une forme de coopération, étant tous intéressés par la navigation sur le fleuve.

■ Les enjeux : une coopération multiforme

Ces besoins et intérêts communs expli-quent la multiplication des engage-ments internationaux, dans lesquels chaque État fait valoir ses spécificités propres. Mais les devoirs sont en géné-ral partagés entre États riverains. Ces intérêts sont nombreux : canalisations, régulation du cours, usage des eaux, retenues d'eau, etc. La coopération vise également à préserver un certain équi-libre entre les différentes utilisations du fleuve qui ne sont pas nécessairement compatibles entre elles : réduction de la pollution des industries, irrigation, construction de barrage hydroélec-trique…

■ La coopération internationale Rhin-Danube

En Europe, il y a deux principales voies navigables internes : le Rhin et le Danube. L'idée d'une liaison entre ces deux fleuves internationaux est très ancienne : c'était déjà le rêve de Charle-magne ! Le 25 septembre 1992, le rêve de l'empereur devient réalité. Le canal est alors inauguré : 171 km (de Bamberg à Kelheim, comprenant 16 écluses) du Rhin au Danube en passant par le Main. Il s'agit d'un ouvrage écologique ultra-moderne, qui permet aux navires de gros gabarit d'aller de la mer Noire à la mer du Nord. Cependant, l'Allemagne, en dotant le canal d'un statut national, entend y contrôler le cabotage. La coopération a aussi ses limites.

■ L'aspect conflictuel : le Chatt-al-Arab

Malheureusement, les fleuves interna-tionaux engendrent parfois la rivalité des États. Le fleuve Chatt-al-Arab (« la Rivière des Arabes » en français) en est un exemple édifiant. Ce fleuve long de 255 km et large d'environ 500 mètres, issu du mélange des eaux du Tigre et de l'Euphrate avant de se perdre dans les eaux du golfe Persique, est revendiqué conjointement par l'Iran et l'Irak. Il a, en son temps, constitué le prétexte immé-diat de la guerre qui a duré 8 ans entre les deux États ennemis.

À travers les siècles, ce fleuve a toujours constitué la frontière politique et cultu-relle entre deux empires (l'Empire otto-man et l'Empire perse) et entre deux branches d'une même religion musul-mane (sunnite et chiite). De fait, les deux États rivaux ont délimité leur frontière fluviale dès 1847. Mais les revendica-tions de part et d'autre de la rive se réveillent ponctuellement, une première fois en 1937, puis en avril 1969 avec le shah d'Iran.

Un nouvel accord sera signé le 6 mars 1975 : l'accord d'Alger. Cependant, en juillet 1979, Saddam Hussein dénonce unilatéralement le traité d'Alger et, quelques jours plus tard, éclate l'une des guerres les plus meurtrières d'après-guerre : la guerre Iran-Irak.

SOURCES
INSTITUTIONS
PERSONNES
DOMAINE PUBLIC
ÉCONOMIE
CONFLITS

Les canaux internationaux

> Grande voie maritime, le canal international est une voie d'eau artificielle creusée en territoire étatique afin de faire communiquer des portions de mers libres et faciliter le trafic maritime international. Réglementés depuis le XIXᵉ siècle, les canaux constituent l'une des zones maritimes les plus importantes.

Le concept de canal international

Historiquement, la liberté de passage était jusqu'au XIXᵉ siècle considérée comme un droit naturel des États, ce qui justifiait le principe d'une liberté totale de navigation. Cette position a, par la suite, été abandonnée. Le concept de canal est purement juridique. La conception assez étroite de cette voie de communication dépend et dérive, non pas de règles coutumières, mais d'engagements internationaux, qui portent en règle générale le nom de « conventions ». De nombreux canaux font partie des eaux intérieures de l'État territorial et ne sont donc pas soumis à un régime international.

Le régime juridique des canaux internationaux

☐ Certains canaux internationaux sont soumis au contrôle exclusif, et souvent rigoureux, de l'État riverain. Il en est ainsi du canal de Corinthe qui est situé entre la mer Ionienne et la mer Égée, en Grèce. Le droit international est très précis. L'État riverain peut exercer dans le canal les droits exclusifs suivants : percevoir des taxes, parfois élevées ; réglementer le passage dans le canal en matière administrative (documents de passage) et d'un point de vue technique (importance et taille des navires) ; prendre toutes les mesures utiles, comme des mesures de contrainte (par exemple, la saisie de navires suspects) ou de défense (fortifications militaires).
☐ Il convient de remarquer, qu'actuellement, il n'existe pas de réglementation universelle de la circulation à l'intérieur des canaux internationaux. Cependant, la tendance est au régime de l'internationalisation des canaux concrétisée par la garantie de liberté de passage au profit de tous les États, à condition que ces derniers observent la réglementation imposée par l'État riverain.

Le canal et la souveraineté de l'État

En pratique, il n'y a pas d'incompatibilité entre le principe bien établi de la liberté de passage et la reconnaissance de la souveraineté de l'État territorial. En effet, la réalité vécue prouve que chaque partie (l'usager et l'État souverain) a besoin de l'autre, ce qui n'est pas nécessairement le cas pour le fleuve international.

Les canaux internationaux

Le droit international dénombre seulement trois canaux revêtant tous les critères internationaux : le canal de Kiel, le canal de Suez et celui de Panama. Chaque canal est doté de régimes juridiques différents avec des règles voisines mais non semblables. Cependant, ces trois canaux partagent une importance économique et stratégique exceptionnelle.

LES GRANDS CANAUX

■ Le canal de Suez

Ce canal est inauguré avec faste en 1869. C'est la convention de Constantinople du 29 novembre 1888 qui pose le principe de la liberté de passage dans le canal. Ce régime est remis en cause unilatéralement par l'Égypte au lendemain de la Seconde Guerre mondiale, avec la création en 1948 de l'État d'Israël. Le canal est fermé à l'issue de la guerre des Six Jours en 1967, opposant l'État hébreu aux États arabes. Il faut attendre 1975 pour que cette importante voie de communication soit rouverte. Des travaux réguliers de rénovation et d'agrandissement sont menés sur ce canal.

Les incidences de la fermeture de cette voie maritime de communication ont déjà été évaluées lors des deux interruptions de trafic (1956 et 1967). En raison de cette incertitude, des travaux importants de construction d'oléoducs ont été entrepris vers la Méditerranée. Les pétroliers connaissent bien la route du Cap, longue et périlleuse certes, mais non dépendante de la décision d'un État.

■ Le canal de Panama

Bien que le canal ait été ouvert à la navigation en 1914, son régime juridique a été réglé par deux traités bilatéraux nettement antérieurs : celui de Hay-Pauncefote de 1901 entre les États-Unis et le Royaume-Uni (transfert de responsabilité politique entre les deux États) et celui de Hay-Bunau-Varilla de 1903 entre Panama et les États-Unis. Ce dernier traité prévoit la possibilité de fortifier les rives du canal par les États-Unis.

En 1977, le traité américano-panaméen consacre les principes de liberté de navigation, de neutralité perpétuelle et celui de la défense militaire du canal par les États-Unis. Ce traité prévoit également le transfert progressif de cette voie maritime sous souveraineté panaméenne avant le 31 décembre 1999.

■ Le canal de Kiel

Ce canal européen, qui unit la mer Baltique à la mer du Nord, est inauguré en 1895. Un régime d'internationalisation est prévu par le traité de Versailles du 28 juin 1919. Remis en cause par Hitler en 1936, le statut de liberté de passage sans discrimination du canal de Kiel est définitivement acquis dès 1945. Sa faible largeur fait que ce canal n'a plus l'importance qu'il avait avant 1945.

■ Les enjeux

Les enjeux sont majeurs. Tout le trafic international, les marchandises (route du pétrole) et les personnes (nombreuses croisières), est suspendu à l'ouverture des canaux internationaux. Les libertés de passage et de transit conditionnent donc une bonne partie de l'économie mondiale : sécurité alimentaire et en hydrocarbures de l'Occident.

■ L'affaire du *Wimbledon* (17 août 1923)

Cette affaire met aux prises les Alliés et l'Allemagne qui s'oppose au transit par le canal d'un navire, le *Wimbledon* transportant du matériel de guerre destiné à la Pologne, alors en guerre contre l'URSS. La Cour permanente de justice internationale réaffirme à cette occasion le principe du droit de passage libre pour tout navire des nations en paix, en application des dispositions du traité de Versailles.

SOURCES
INSTITUTIONS
PERSONNES
DOMAINE PUBLIC
ÉCONOMIE
CONFLITS

Les détroits internationaux

Voie naturelle, le détroit est un bras de mer resserré entre deux terres. Il permet la communication de deux mers et relève de régimes juridiques différents liés à leur importance stratégique. Il existe 116 détroits internationaux qui ne revêtent pas tous la même utilité pour les États.

Leur régime juridique

☐ Le régime de droit commun du détroit s'appuie sur trois principes qui sont, à quelques détails près, applicables à tous les détroits. La liberté de passage s'applique lorsque le détroit a une largeur suffisante pour ne pas entrer dans les eaux territoriales de l'État riverain. Le droit de passage en transit, c'est-à-dire continu et rapide, doit s'opérer sans entrave dans les détroits servant à la navigation internationale (exemple : dans le détroit du Pas-de-Calais). La liberté de survol du détroit en transit continu et rapide est également possible.
☐ Dans la célèbre affaire du détroit de Corfou du 9 avril 1949, la Cour internationale de justice (arrêt sur le fond du litige) a eu l'occasion d'affirmer que le critère géographique est le fondement déterminant du droit de passage, en excluant ainsi toute référence au volume du trafic ou l'importance du détroit pour la navigation .

Le détroit du Bosphore (« Passage du bœuf »)

Ce détroit, qui fait communiquer la mer de Marmara avec la mer Noire, dépend de la convention de Montreux de 1936. Cet engagement prévoit deux types de situation :
– en temps de paix, le droit de passage est reconnu à tous les navires ;
– en temps de guerre la Turquie, si elle est belligérante, possède un pouvoir discrétionnaire pour accorder ou refuser le passage.

Le détroit de Gibraltar

☐ Ce détroit, stratégiquement fondamental, commande l'accès à la mer Méditerranée. Chaque jour plus de 300 pétroliers empruntent cette voie d'eau. En conséquence, c'est en grande partie la sécurité d'approvisionnement de l'Europe occidentale qui est en jeu. La Grande-Bretagne, souhaitant contrôler la route des Indes, s'est installée sur le « Rocher » et l'a fortifié.
☐ En temps de paix, la navigation dans le détroit est libre, alors qu'en temps de guerre la Grande-Bretagne et l'Espagne – toutes d'eux membres de l'OTAN – pourraient filtrer la circulation. Cependant, le régime juridique du détroit de Gilbraltar, dont la largeur est inférieure à 24 milles, ne comporte pas de chenal de haute mer puisque le Maroc et l'Espagne ont défini la largeur de leur mer territoriale à 12 milles.

LES DÉTROITS
ET LA RESPONSABILITÉ MARITIME

Outre l'affaire fondamentale du détroit de Corfou, premier cas litigieux porté devant la Cour internationale de justice en 1949, les différends internationaux relatifs aux détroits participent tous de l'idée que le détroit, mettant en communication deux mers, est une voie d'eau stratégique fondamentale. Posséder son accès est, d'un point de vue économique et commercial, déterminant, mais un État ne peut agir dans un détroit de n'importe quelle manière, comme l'atteste l'affaire du détroit de Behring.

■ L'affaire des pêcheries du détroit de Behring

Il s'agit d'une affaire datant de 1893, opposant dans le détroit de Behring les États-Unis à la Grande-Bretagne (représentant le Canada) à propos de la pêche des phoques à fourrure. Le point litigieux est alors de déterminer les modalités techniques permettant de déceler les lieux de la chasse aux phoques.

Les arbitres internationaux saisis par les deux États en litige précisent dans leur sentence les points suivants : la zone de protection de ces pinnipèdes (mammifères aquatiques), l'établissement des dates durant lesquelles la pêche est autorisée et la réglementation des engins utilisés. L'objectif du tribunal arbitral est clair : assurer la pérennité de l'espèce. Cependant, les pêcheurs des États incriminés continuèrent leur pêche sans tenir compte de la sentence rendue. Il a fallu l'adoption d'une convention internationale en 1911 pour éviter la disparition des phoques à fourrure.

■ L'affaire du détroit de Corfou

Ce litige, déjà évoqué, concernant la responsabilité internationale de l'État opposant l'Albanie au Royaume-Uni, à propos du déminage par la Royal Navy après la Seconde Guerre mondiale dans le détroit de Corfou, est capital en raison des principes juridiques qu'il retient. Dans son arrêt, la Cour internationale de justice affirme que l'unique fondement déterminant que les États doivent retenir dans l'appréciation du droit de passage inoffensif dans un détroit, est bien le critère géographique, seul élément objectif ne souffrant aucune contestation.

Ainsi la Haute cour n'hésite pas à écarter tous les autres critères, tels le volume du trafic passant dans le détroit ou l'importance de cette voie maritime internationale pour la navigation. Ces deux derniers éléments ne servent même pas d'appoints complémentaires pour expliquer le concept essentiel de droit de passage.

■ Le détroit de Tiran

L'importance stratégique de ce détroit — passage reliant la mer Rouge au golfe d'Akaba — a été révélée à l'opinion publique lors de la guerre des Six Jours opposant Israël aux États arabes. En 1967, le président égyptien Nasser bloque pour la deuxième fois le golfe, ce qui, à terme, peut provoquer l'asphyxie de l'économie israélienne, qui utilise cette voie d'eau pour se ravitailler.

C'est politiquement que le litige a été dénoué. En effet, il faut attendre la signature du traité de paix israélo-égyptien du 25 mars 1979, conclu aux États-Unis (accord de Washington) sous les auspices du président américain J. Carter, pour consacrer à nouveau le principe de la liberté sans discrimination et la liberté totale de survol dans le détroit de Tiran.

SOURCES

INSTITUTIONS

PERSONNES

DOMAINE PUBLIC

ÉCONOMIE

CONFLITS

L'espace aérien

Le régime juridique international de l'espace aérien est l'un des mieux définis par le droit international. Il laisse une place importante à la coopération internationale au sein d'organismes multilatéraux, comme l'Association internationale des transporteurs aériens (IATA, en anglais).

▰▰▰ Les principes juridiques

L'espace aérien est soumis à la pleine souveraineté de l'État sous-jacent. Ainsi, cet État exerce tout pouvoir sur son territoire terrestre et maritime. L'espace aérien situé au-dessus de la haute mer est libre. L'espace aérien *national* étant indispensable au transport aérien international, les État sont amenés à établir une règlementation élaborée, après 1945, en raison du développement des moyens de transport aérien.

▰▰▰ L'Organisation de l'aviation civile internationale (OACI)

☐ La convention de Chicago de 1944, signée à l'issue d'une conférence internationale réunissant 52 États en 1944, crée l'Organisation de l'aviation civile internationale, institution spécialisée de l'ONU dont le siège est à Montréal. L'OACI institue les règles de la navigation aérienne, pose le principe de l'égalité de traitement pour tous les avions et règlemente le statut des aéronefs et du personnel navigant.

☐ La convention de Chicago établit les 5 principes de la liberté de l'air : le droit de survol, le droit d'escale technique, le libre transport des passagers, du fret et du courrier.

▰▰▰ La coopération aérienne internationale

☐ La solidarité interétatique est multiforme. Elle s'exerce pour lutter contre la pollution transfrontière (exemple : protection de la couche d'ozone, des pluies acides) et fixer les règles minimales concernant les consignes de sécurité dans les aéroports. Mais, c'est surtout dans le domaine des détournements illicites d'avions que la coopération internationale trouve toute sa mesure. De nombreuses conventions internationales répriment la *piraterie aérienne* ; on peut relever à titre d'exemples les textes internationaux suivants :

– la convention de Tokyo de 1963 sur les détournements illicites ;

– la convention de La Haye de 1970 relative à la poursuite des délinquants et à leur extradition ;

– la convention de Montréal de 1971 sur la répression des atteintes à la sécurité de l'aviation civile ;

– le protocole de Montréal de 1988 sur la répression des actes illicites commis dans les aéroports.

☐ Les juristes internationaux se sont interrogés sur la légalité de l'interception par des chasseurs américains d'un avion de ligne égyptien transportant, le 10 octobre 1985, les pirates-terroristes palestiniens de l'*Achille Lauro*, un paquebot italien détourné transportant 500 touristes.

■ Définition

Selon les règles du droit international, il y a violation de l'espace aérien d'un État lorsque celui-ci n'a pas autorisé un aéronef civil ou militaire à survoler son territoire, terrestre et maritime. L'autorisation ou l'interdiction de survol est un attribut fondamental de l'État. Plusieurs types de situation enveniment parfois les relations inter-étatiques.

■ Le bombardement américain de 1986 en Libye

Les faits sont clairement établis. Il s'agit pour les États-Unis de détruire « les cibles liées au terrorisme ». Le 15 avril 1986, 18 bombardiers américains, partis de Grande-Bretagne, bombardent le quartier général à Tripoli (opération « Eldorado Canyon »). D'autres appareils américains, partis de porte-avions en Méditerranée, bombardent à leur tour la ville libyenne de Benghazi. À Tripoli, le bilan est de 37 morts. L'opération rondement menée a pourtant subi un revers de taille. En effet, le gouvernement français a refusé, lors du raid, le survol de son territoire, provoquant aux États-Unis une vague de protestations. Les bombardiers américains sont alors contraints de passer par le chenal de haute mer, dans le détroit de Gibraltar. Selon une stricte analyse juridique de l'affaire, la France était habilitée à refuser le survol de son territoire.

■ Les détournements d'avions

Très prisés dans les années soixante-dix pour porter certaines causes à la connaissance de l'opinion publique internationale, les détournements d'avions constituent une atteinte évidente à la sécurité aérienne et ils sont réprimés, au regard du droit pénal des États et des conventions internationales, comme des crimes. Le scénario est classique : des pirates s'introduisent dans un avion de lignes civiles, prennent en otages les passagers et forcent l'équipage à atterrir dans tel État qu'ils considèrent comme ami ou partageant leurs « intérêts ».

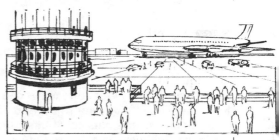

■ L'affaire de l'*Achille Lauro*

Après avoir quitté le port d'Alexandrie, en Égypte, le paquebot italien *Achille Lauro* est victime, le 7 octobre 1985, d'un acte de piraterie maritime de la part d'un commando de 4 Palestiniens. Un Américain est tué par les terroristes.

Après des pourparlers entre le président égyptien Moubarak, des représentants palestiniens de l'OLP et les preneurs d'otages, il est décidé que les membres du commando seront remis à la centrale palestinienne. Ils sont conduits vers la Tunisie par un Boeing égyptien qui est intercepté en plein vol par des chasseurs américains qui le forcent à atterrir en Sicile. Les Américains remettent les terroristes à la police italienne, mais annoncent l'intention de demander leur extradition. Pourtant, les autorités italiennes libèrent l'un des terroristes, Aboul Abbas, organisateur de l'opération. Washington dénonce cette libération, alors que dans le même temps Le Caire reproche aux États-Unis d'avoir fait survoler son territoire national par des avions militaires sans son autorisation préalable. La Maison-Blanche a présenté officiellement ses excuses au président Moubarak.

SOURCES

INSTITUTIONS

PERSONNES

DOMAINE PUBLIC

ÉCONOMIE

CONFLITS

L'espace extra-atmosphérique

Depuis le lancement du satellite Spoutnik 1 en 1957, cet espace revêt une grande importance stratégique.

Les principes juridiques

L'ONU a permis l'élaboration de la convention sur l'espace du 27 janvier 1967. Ce texte fondamental établit les principes généraux régissant l'espace extra-atmosphérique ou cosmique.

☐ L'espace, la Lune et les autre corps célestes sont internationalisés. Ils ne peuvent donc faire l'objet d'une appropriation nationale. Leur utilisation et leur exploration sont libres, mais plusieurs États équatoriaux (Brésil, Indonésie et Zaïre notamment) revendiquent la souveraineté sur l'orbite équatoriale considérée comme ressource naturelle, espérant percevoir une redevance des États utilisateurs de l'orbite.

☐ La dénucléarisation et la démilitarisation des corps célestes sont des principes essentiels. Par conséquent, les corps célestes ne peuvent être utilisés à des fins militaires et aucune arme (atomique, bactériologique et chimique-ABC) de destruction massive ne peut être mise en orbite.

Coopération et solidarité internationales

☐ Les travaux, depuis 1958, du Comité des Nations unies pour l'utilisation pacifique de l'espace extra-atmosphérique ont permis de renforcer la coopération internationale. Cette solidarité repose sur l'échange d'informations. Dans ce domaine, il est impossible de rester seul, compte tenu de l'ampleur du coût occasionné et de la difficile maîtrise technologique.

☐ Ainsi, les engagements internationaux suivants ont été conclus :

– la convention du 22 avril 1968 sur le sauvetage des astronautes et la restitution des objets lancés dans l'espace ;

– les accords Intelsat de 1971, entrés en vigueur le 13 février 1973, mettent en place un système mondial de télécommunications par satellites et consacrent une coopération internationale de haute technicité ;

– la convention du 22 mars 1972 sur les responsabilités pour les dommages causés par les engins spatiaux ;

– la convention du 14 janvier 1975 sur l'enregistrement des objets lancés dans l'espace.

La Lune et les corps célestes

Par ailleurs, la Lune et les autres corps célestes font l'objet d'une démilitarisation totale depuis le traité du 18 décembre 1979 qui déclare les ressources de la Lune « patrimoine commun de l'humanité ». L'espace extra-atmosphérique apparaît ainsi très proche du statut de la haute mer.

1967 : LE TRAITÉ SUR L'ESPACE EXTRA-ATMOSPHÉRIQUE

■ Les enjeux

Les enjeux sont de trois ordres. Militaire d'abord car il est évident que pour avoir le leadership en ce domaine, il faut parvenir à maîtriser l'espace extra-atmosphérique afin de mettre sur orbite des armes, bien que certains traités l'interdisent.

Le deuxième enjeu est financier : il s'agit de voir reconnaître par la société internationale un droit d'appropriation nationale de l'orbite. L'idée, une fois le droit reconnu, est d'en faire payer l'usage aux utilisateurs (redevances financières) qui ont les capacités techniques de mettre sur orbite des satellites.

En dernier lieu, l'espace extra-atmosphérique est un excellent moyen de développer les coopérations entre les États, notamment en matière de télécommunications spatiales.

■ Les catégories de satellites

Il existe deux catégories de satellites. D'abord, les satellites géostationnaires (environ une centaine), qui se trouvent à 3 600 km de la Terre sur une orbite permanente à la verticale d'un même point de l'Équateur et sont utilisés en matière de télécommunications et de météorologie. Ensuite, il y a des satellites à défilement — les plus nombreux —, placés sur des orbites basses (900 km), pour permettre de prendre des images de la Terre à des fins scientifiques.

■ L'exploitation de l'espace par les États

L'espace extra-atmosphérique est des plus encombrés car les satellites ont une grande longévité et ne peuvent être détruits que du sol.

Quelques États seulement peuvent financer des satellites. Chaque année, la Communauté des États indépendants (CEI), c'est-à-dire les États de l'ex-URSS, à commencer par la Russie, lance 40 satellites (le rythme était deux fois plus élevé avant 1991 et l'effondrement de l'URSS). Les Russes ont déjà lancé quelque 2 500 satellites. Les États-Unis en ont lancé 1 500, avec un rythme annuel de 30. La France en a lancé une cinquantaine et la Chine 40.

■ Le traité sur l'espace extra-atmosphérique, la Lune et les autres corps célestes

Cet important engagement international a été signé le 27 janvier 1967 et il est entré en vigueur le 10 octobre de la même année. Le premier article se présente comme suit :

> **Les États Parties au présent Traité**.
>
> Sont convenus de ce qui suit :
>
> Article premier
>
> L'exploration et l'utilisation de l'espace extra-atmosphérique, y compris la Lune et les autres corps célestes, doivent se faire pour le bien et dans l'intérêt de tous les pays, quel que soit le stade de leur développement économique ou scientifique ; elles sont l'apanage de l'humanité tout entière. […]

SOURCES
INSTITUTIONS
PERSONNES
DOMAINE PUBLIC
ÉCONOMIE
CONFLITS

Le nouvel ordre économique international

Les chocs pétroliers de 1973 et de 1979, ont fait prendre conscience aux États de l'urgence d'une action concertée et planétaire pour sortir de la crise économique mondiale.

▄▄▄▄ Les raisons d'un nouvel ordre économique international

Plusieurs motifs expliquent la volonté des États à résoudre une crise économique dont les conséquences redoutables ne se sont pas encore toutes fait ressentir.

☐ Le désordre monétaire international, patent dans les années soixante-dix, est désormais en grande partie résorbé grâce à l'adoption des parités flexibles et ajustables (accords de la Jamaïque, janvier 1973) et l'instauration d'un dialogue permanent des grands argentiers occidentaux dans le cadre du Groupe des 7.

☐ La dérive financière est beaucoup plus préoccupante : l'endettement du tiers-monde dépasse les 1 600 milliards de dollars et les solutions d'ajustement proposées par le Fonds monétaire international n'ont qu'un impact limité.

☐ L'éclatement de l'ex-URSS et la double faillite du communisme et du néo-libéralisme outrancier caractérisé par un écart croissant de richesses entre les différentes catégories de population marquent la fin des *modèles* de développement.

☐ Enfin, la constitution de pôles d'échanges rivaux et cependant partenaires à l'image des enjeux commerciaux opposant la Communauté économique européenne, les États-Unis et le Japon rompt avec le traditionnel affrontement Est-Ouest.

▄▄▄▄ La volonté de dialogue planétaire

☐ Le dialogue Nord-Sud entamé en 1975 à l'initiative de la France n'a pu aboutir malgré deux années de négociations entre États nantis et pays pauvres. Relancé au sein d'organisations internationales rattachées à l'ONU, comme l'ONUDI ou la CNUCED, ce dialogue a marqué le pas dans les années quatre-vingts.

☐ Si l'action des instances internationales institutionnelles est toujours très utile (exemple : dans le domaine de l'environnement, la conférence de Rio de Janeiro en juin 1992), les relations bilatérales entre États ou groupes d'États répondent assez bien aux problèmes actuels. Il apparaît évident que la résolution des interrogations passe par la concertation ponctuelle : la détermination de zones de pêche entre États (exemple : conflit franco-espagnol) ; le conflit frontalier à forte connotation économique (exemple : litige entre l'Argentine et le Chili sur le canal de Beagle) ; la multiplication des zones de libre-échange (exemple : le Mercosur de 1991 entre l'Argentine, le Brésil, le Paraguay et l'Uruguay).

▄▄▄▄ Vers un nouvel ordre économique mondial

Il est ainsi devenu impératif de penser le monde comme interdépendant et de mettre en œuvre une double action multilatérale et spécifique, qui ne s'excluent pas et peuvent même être convergentes, pour s'attaquer activement aux mutations économiques.

ZONES DE LIBRE-ÉCHANGE

Dénomination	Date d'entrée en vigueur	États membres	Observations
Marché commun d'Amérique centrale (MCCA)	13/12/1960	Guatémala, El Salvador, Honduras, Nicaragua et Costa Rica	Il y a commerce interrégional dans la zone centro-américaine, partage d'intérêts géographiques proches.
Grand Maghreb	01/01/1964	Algérie, Tunisie, Maroc, Libye et Mauritanie	Le comité consultatif entre les États du Maghreb ne connaît qu'une faible activité économique et commerciale.
Pacte Andin (accord de Carthagène)	25/05/1969	Colombie, Équateur, Bolivie, Pérou et Venezuela	La structure institutionnelle est très poussée. Le 1er janvier 1992, il y a eu création d'une zone de libre commerce.
Caricom (marché commun des Caraïbes)	01/08/1973	Antigua, Bahamas, Barbade, Bélize, Dominique, Grenade, Guyana, Jamaïque, Montserrat, Saint-Christophe et Nièves, Ste Lucie, St-Vincent et Grenadines, Trinité et Tobago	Le traité de Chaguaramas (Trinité et Tobago) définit les modalités d'intégration économique de la région. Une banque de développement des Caraïbes est également fondée.
Conseil de coopération du golfe (CGC)	25/05/1981	Arabie Saoudite, Koweït, EAU, Mascate et Oman, Qatar et Bahrein	Six pays du Proche-Orient sont réunis dans une structure très souple de simple concertation.
Accord de libre-échange nord-américain (ALENA ou NAFTA en anglais)	12/08/1992 (ratification envisagée pour le 01/01/1994)	États-Unis, Canada et Mexique	C'est la plus grande zone de libre-échange au monde, en concurrence directe avec la Communauté européenne.
Mercosur (marché commun du Sud)	26/03/1991	Brésil, Argentine, Uruguay et Paraguay	C'est le marché créé par le traité d'Asuncion.
Accord de libre-échange	22/09/1991	Mexique et Chili	Après 8 mois de négociations, l'accord a été mis en œuvre par étapes à partir de 1992.
Zone de libre-échange	08/10/1991	Brunei, Indonésie, Malaisie, Philippines, Singapour et Thaïlande	Il s'agit des pays de l'ASEAN (Association des États du Sud-Est asiatique) créée le 8 août 1967 (déclaration de Bangkok) : la mise en place de cette zone prendra quinze années.
Zone de coopération économique de la mer Noire	25/06/1992	11 États dont la Russie, la Turquie, la Grèce et l'Albanie	La déclaration d'Istanbul officialise la création de la CEN, regroupement d'États parfois politiquement rivaux, en vue d'exploiter au mieux le réservoir d'eau de la mer Noire.

| SOURCES |
| INSTITUTIONS |
| PERSONNES |
| DOMAINE PUBLIC |
| **ÉCONOMIE** |
| CONFLITS |

Les firmes multinationales

Les firmes multinationales (FMN) sont des sociétés dont le siège social est situé dans un pays déterminé et qui exercent leurs activités dans un ou plusieurs États par l'intermédiaire de filiales ou de succursales qu'elles coordonnent. Rouage majeur de l'économie, les FMN influencent le commerce mondial.

▬▬▬ Un phénomène ancien

La première FMN date du XVIIe siècle (la compagnie de navigation des Indes). Les sociétés transnationales ont connu un extraordinaire développement après 1945 en raison de la multiplication des échanges rendus possibles par l'abaissement des barrières douanières et la levée progressive du protectionnisme.

▬▬▬ Importance et secteurs d'activité

☐ Parmi les 100 plus grandes entités économiques mondiales, la moitié sont des FMN selon le critère du chiffre d'affaires et 49 des États d'après le produit intérieur brut. Parfois plus puissantes économiquement que des États (Exxon ou General Motors Corp. figurent dans les 20 premières entités), les firmes contrôlent près des 2/3 du commerce mondial. Ce commerce, dit « captif », leur permet d'orienter les flux de production à leur guise en profitant de législations nationales très laxistes, notamment en matière fiscale, comme le soulignent les notions de pavillons de complaisance et de paradis fiscaux (Panama, Libéria, Luxembourg, Bermudes, Bahamas, Liechtenstein…).
☐ Les FMN interviennent dans des secteurs précis tels que : l'automobile (GMC, Ford Motor, Toyota, VAG) ; le pétrole (Exxon, Mobil, Texaco, BP) ; l'agro-alimentaire (Nestlé, Nabisco, BSN) ; la chimie (Bayer, Hoechst, BASF) ; la banque (banques nippones, Crédit agricole, BNP).
☐ Ces multinationales dégagent des bénéfices considérables qui sont placés de deux façons : sur le marché monétaire des États en fonction des intérêts servis (on parle de *hot money* ou capitaux fébriles) et sur le marché des Euro-dollars (créés en 1960, les Euro-dollars sont des dollars US acquis par les non-résidents américains et placés à court terme en Europe), sur lequel les États vont s'alimenter en vue d'équilibrer leur balance des paiements. Tous les États y ont recours.

▬▬▬ Relations FMN et États

Les rapports sont complexes. Pour l'État d'accueil, la FMN est intéressante à plus d'un titre : création d'emplois (exemple : Eurodisneyland), transfert de technologies et de savoir-faire, distribution de revenus, équilibre de la balance des paiements. Mais l'atteinte aux ressources naturelles est un danger auquel certains pays en développement ont été confrontés (exemple : les États d'Amérique centrale, les *républiques bananières*, qui dans les années cinquante ont dû produire de la banane au seul profit d'une FMN nord-américaine, la United Fruit Cy). Pour l'État d'envoi, la firme est accusée d'exporter des emplois nationaux et de rendre ainsi imparfait le tissu national.

VERS UNE RÈGLEMENTATION DES FMN

Si les États développés à économie de marché sont favorables aux FMN et ont même encouragé leur constitution, les pays du tiers-monde ont un impérieux besoin des FMN pour se développer. Ils ne sont donc pas en mesure d'en discuter le bien-fondé. D'autres États, comme l'ex-URSS, les Émirats du golfe Persique ou le Japon n'acceptent la présence des firmes sur leur sol qu'avec la plus grande prudence, notamment par le biais de sociétés nationales au sein d'une société mixte (*joint venture*). Le Conseil économique et social de l'ONU étudie depuis vingt ans la mise en place d'un statut international de la FMN universellement accepté, alors que le traité de Rome n'aborde pas explicitement le problème (art. 85-86 sur les Ententes entre entreprises). Pour les FMN, il s'agit d'instaurer un climat propice aux investissements et de se comporter en « bons citoyens ». Aussi appliquent-elles le Code des investissements internationaux élaboré en 1972 par la Chambre de commerce international de Paris dont les principes directeurs non contraignants semblent être suivis par ces firmes (par exemple, le respect de la législation du travail).

Les plus gros chiffres d'affaires des groupes industriels mondiaux en 1992

Rang mondial	Rang euro-péen	Firme	Pays	Secteur	Chiffres d'affaires en MF	Effectifs milliers
1		General Motors	USA	Automobile	679 268	761
2		Exxon	USA	Produits pétroliers	576 755	104
3	1	Royal Dutch Shell	NL	Produits pétroliers	576 012	137
4		Ford Motor	USA	Automobile	531 899	370
5		IMB	USA	Informatique	375 941	374
6		Toyota Motor	JAP	Automobile	371 577	102
7	2	IRI	I	Groupes diversifiés	344 438	420
8	3	British Petroleum	GB	Produits pétroliers	320 247	118
9		Mobil	USA	Produits pétroliers	320 120	67
10		General Electric	USA	Biens d'équipement électrique	318 181	298
11		Hitachi	JAP	Biens d'équipement électrique	291 714	291
12	4	Daimler-Benz	D	Automobile	288 049	377
13	5	Fiat	I	Automobile	259 957	303
14		Samsung Group	CRS	Biens d'équipement électrique	250 000	177
15		Matsushita Electric Industrial	JAP	Biens d'équipement électrique	248 820	198
16		Philip Morris	USA	Alimentation	241 427	168
17	6	Volkswagen	D	Automobile	229 297	268
18	7	ENI	I	Groupes diversifiés	227 349	131
19		Nissan Motor	JAP	Automobile	224 901	138
20		Texaco	USA	Produits pétroliers	222 776	39
21	8	Unilever	NL	Groupes diversifiés	220 311	304
22		El du Pont de Nemours	USA	Chimie de base	218 136	144
23		Chevron	USA	Produits pétroliers	213 860	54
24	9	Siemens	D	Biens d'équipement électrique	212 869	373
25	10	VEBA	D	Groupes diversifiés	183 915	107

SOURCES

INSTITUTIONS

PERSONNES

DOMAINE PUBLIC

ÉCONOMIE

CONFLITS

Le GATT

Avant la Grande Guerre, la situation du commerce international était fluide, libérale et reposait sur des accords bilatéraux entre États. La dépression de 1929 marque le retour du protectionnisme.

▬▬▬ Origine du GATT

Au lendemain du second conflit mondial, la volonté des États de parvenir à une réglementation multilatérale du commerce donne naissance à la charte de la Havane, qui ne fut jamais ratifiée par le Congrès américain. De cette charte sont tirés, en 1947, quelques chapitres aboutissant à la création du GATT (*General Agreement on Tariffs and Trade*), chargé de régir le commerce mondial.

▬▬▬ Les «Rounds» ou cycles

Doté d'un secrétariat permanent à Genève, le GATT (108 États membres, appelés « Parties contractantes ») a engagé 8 cycles de négociations commerciales multilatérales depuis Genève, dont 4 « rounds » essentiels : le *Dillon Round* (1960-1963) ; le *Kennedy Round* (1964-1967) ; le *Tokyo Round* (1973-1979) ; l'*Uruguay Round* (1986-1993).

▬▬▬ Les principes généraux

☐ Le principe essentiel des échanges est la « clause de la nation la plus favorisée ». Il s'agit d'une stipulation conventionnelle par laquelle deux États conviennent que si l'un d'entre eux conclut ultérieurement un traité de commerce avec un État tiers lui accordant des avantages particuliers, ces derniers seront automatiquement appliqués dans les relations entre États contractants initiaux (en 1980, les États-Unis et la Chine signent une clause de la nation la plus favorisée ; en 1991, les États-Unis octroient cette clause à l'URSS).

☐ Un autre principe interdit le dumping, pratique déloyale — à laquelle le Japon a souvent eu recours — qui consiste pour un État à inonder artificiellement d'un produit le marché d'un autre pays à un prix inférieur au prix de revient. Cette entrave peut être neutralisée par un droit anti-dumping accordé par le GATT après enquête, de sorte que l'État lésé puisse gommer le préjudice subi.

☐ Les subventions à l'exportation accordées par les États à leurs entreprises publiques ou privées, comme les exonérations fiscales sur le revenu, constituent une pratique interdite et sanctionnée par le GATT, et réparée à l'aide d'un droit compensateur que l'État lésé est autorisé à instituer (par exemple, en octobre 1991, la polémique États-Unis-CEE à propos de l'aide européenne au consortium Airbus).

☐ Les obstacles non tarifaires aux échanges sont la forme la plus subtile d'entrave. Leur inventaire entamé en 1973 est délicat, le commerce en inventant chaque jour de nouvelles formes (formalités douanières et administratives à l'importation, règlements sanitaires et normes de sécurité, étiquetage, conditionnement...).

LES 8 ROUNDS (OU CYCLES) DU GATT

Lieu et dénomination	Date	Nombre d'États	Décisions
Genève	octobre 1947 - juin 1948	23 pays fondateurs	3/4 du commerce mondial bénéficient de 45 000 réductions tarifaires (10 milliards de $)
Annecy	avril - août 1949	13	5 000 nouvelles réductions
Torquay (Angleterre)	septembre 1950 - avril 1951	38	réductions des tarifs de 25 % environ par rapport à 1948, par 8 700 nouvelles concessions
Genève	janvier - mai 1956	26	nouvelles baisses ou concessions tarifaires d'une valeur de 2,5 milliards de $
Dillon Round (Genève)	septembre 1960 - juillet 1962	26	• 4 400 concessions tarifaires portant sur 4,9 milliards de $ (ex. textile, coton) • négociations agricoles par produits : la CEE accepte d'importer les oléagineux sans droits de douane (ex. le soja) et diminue certains droits sur les fruits et légumes
Kennedy Round (Genève)	mai 1964 - juin 1967	62	• réduction moyenne des droits de douane de 35 % montant des échanges : 40 milliards de $ (ex. céréales et produits chimiques) • résultats non tarifaires : codes anti-dumping, mécanismes préférentiels pour les PED • agriculture : la CEE accepte l'importation sans droits de douane du manioc et de certains produits de substitution aux céréales utilisés pour l'alimentation du bétail
Tokyo Round (Genève)	septembre 1973 - novembre 1979	99	• réduction moyenne de 34 % des protections tarifaires portant sur 300 milliards de $ (les droits de douane sont réduits à 4,7 % pour les Pdem) • élaboration de codes anti-dumping • agriculture : application des codes sur les subventions à l'exportation
Uruguay Round (Punta del Este, puis Genève)	septembre 1986 (date butoir : 15 novembre 1993 en principe)	109 septembre 1993 116 septembre 1993	objectifs : • libéralisation du marché agricole (réduction des subventions) • réduction de 30 % des tarifs douaniers actuels • textile : suppression de l'AMF (1974) • définition des normes générales relatives à la propriété intellectuelle et leurs conditions d'application • création d'un accord sur les services (Gats) reprenant les principes du GATT (20 % du CI : communication, distribution, finance, assurances, éducation, informatique...) • investissement internationaux liés aux commerce (Trim = *Trade related investment measures*) (ex. emploi de main-d'œuvre) en 1992 • valeur totale des exportations de marchandises : 3 700 milliards de $ (+ 5,5 % par rapport à 1991 • valeur total des exportations de services : 960 milliards de $ (+ 8 % par rapport à 1991)

SOURCES
INSTITUTIONS
PERSONNES
DOMAINE PUBLIC
ÉCONOMIE
CONFLITS

Le protectionnisme

Le protectionnisme, qui est un choix politique, s'oppose au libre-échange. Il s'agit d'un système, pourtant prohibé par le GATT, dans lequel l'industrie, le commerce et les services d'un État sont défendus contre la concurrence étrangère par toute une série de mesures gouvernementales.

■■■■■ Les techniques et mesures protectionnistes

Analysé notamment par l'économiste britannique Nicholas Kaldor, le protectionnisme dont l'efficacité n'est pas toujours vérifiée repose sur plusieurs techniques :
– contingenter, technique consistant à fixer un montant ou quota de produits pouvant être importés ;
– limiter ou *filtrer* la vente d'un produit sur un marché ;
– instaurer des normes règlementaires, sanitaires, techniques pour décourager l'exportateur étranger à pénétrer le marché, comme c'est le cas du marché nippon si difficile à pénétrer pour les entreprises occidentales ;
– percevoir des droits de douane élevés (impôts sur les marchandises à l'occasion du passage d'une frontière) ;
– réserver les marchés publics aux producteurs nationaux, reproche adressé par les États-Unis aux États de la Communauté européenne.

■■■■■ Les conséquences du protectionnisme

☐ Même si une politique protectionniste peut un temps protéger la naissance d'une industrie ou sauvegarder l'emploi, le protectionnisme ne produit que des conséquences négatives :
– il est facteur de hausse des prix : tous les facteurs de production renchérissent, créant une situation inflationniste dont le premier à pâtir est le consommateur ;
– en outre, le régime protectionniste peut provoquer des mesures de représailles de la part des États dont les produits ou services sont refoulés ;
– enfin, il réduit fortement le stimulant essentiel que représente la concurrence internationale et provoque un infléchissement de l'effort d'innovation et d'organisation de la part des entreprises protégées.
☐ Malgré cela, depuis environ vingt ans, un néo-protectionnisme jamais officiellement revendiqué par les États qui le pratiquent se développe en dépit des déclarations et engagements internationaux (exemple : le *Trade Pledge* des pays membres de l'OCDE du 3 juin 1974 à Paris, renouvelé tous les six ans).

■■■■■ GATT et protectionnisme

L'Uruguay Round a, entre autres missions, la tâche complexe d'inventorier les pratiques protectionnistes — dans le cadre de son deuxième sous-groupe : « mesures non tarifaires » — pour parvenir à les démanteler.

Y A-T-IL DES MARCHÉS PROTÉGÉS ?

■ Le protectionnisme multiforme

La remise en cause des échanges commerciaux multilatéraux est de nos jours patente. Plusieurs phénomènes militent en faveur de cette affirmation.

Il y a d'abord le recours à l'*unilatéralisme* en matière de politique commerciale, encore appelé « activisme commercial unilatéral ».

Puis, il y a la tendance à la régionalisation des échanges (par exemple, les accords d'auto-limitation volontaire des exportations), qui est liée au renforcement des blocs existants (exemple : l'Acte unique européen) et la création de nouveaux pôles de croissance (exemple : l'Alena en 1992).

Mais c'est surtout la montée récente – tout au plus une dizaine d'années – des pressions protectionnistes multiformes qui hypothèquent le commerce international, telles l'instauration de barrières non tarifaires aux échanges (BNT).

■ Les incidences du protectionnisme

Deux conséquences graves s'attachent à cette situation de protectionnisme universel. Premièrement, la création *de facto* de règles et de pratiques commerciales, prétendument provisoires mais qui perdurent, contraires aux principes non-discriminatoires de la multilatéralisation des rapports commerciaux internationaux.

Deuxièmement, la « marginalisation » du rôle du GATT et sa remise en cause par certains experts tels que Lester Thurow, en raison de son incapacité à faire cesser les pratiques protectionnistes. La résultante de cette situation est la poursuite d'une dérive incontrôlée des échanges mondiaux.

■ Une pratique universelle

Tous les États pratiquent le protectionnisme, surtout ceux qui s'en défendent. Ainsi, les États-Unis s'abritent derrière une législation tatillonne en matière d'hygiène, de santé (exemple : les médicaments) et de produits alimentaires. De plus, pour défendre leurs intérêts nationaux, les États ont recours à la notion de pics tarifaires, c'est-à-dire des droits très élevés appliqués à quelques produits sensibles : par exemple, l'industrie américaine impose 42 % de droits de douane sur des tissus de laine.

■ Le Japon : champion incontesté du protectionnisme

Le Japon use de plusieurs artifices pour s'opposer à l'entrée sur son territoire de produits ou services étrangers :

– le poids des taxes : 1 produit sur 10 est taxé à plus de 20 % (1/20 dans la CEE) ;

– le nombre des pics tarifaires appliqués aux produits sensibles (informatique) ou à forte valeur ajoutée (aéronautique) ;

– les mesures de protectionnisme indirect : des normes complexes, différentes de celles appliquées par les autres États, et des contrôles d'homologation retardant l'entrée des produits ou des services sur le marché ;

– l'imprécision des textes de loi ;

– enfin la forme même de distribution des produits : une multitude de réseaux de distribution quasi fermés aux exportateurs étrangers.

SOURCES
INSTITUTIONS
PERSONNES
DOMAINE PUBLIC
ÉCONOMIE
CONFLITS

La CNUCED

Créée à Genève en 1964 par l'Assemblée générale de l'ONU, la Conférence des Nations unies pour le Commerce et le développement (CNUCED) est chargée d'accélérer le développement des pays du tiers-monde et les échanges entre États à niveau de développement inégal.

▆▆▆▆ Ses structures

Elle comporte 183 États membres. L'organe délibérant est le Conseil du commerce et du développement qui se réunit deux fois par an. Plusieurs commissions travaillent sur des thèmes généraux : produits de base, produits manufacturés, financement du développement, assurances et transports maritimes. Un comité spécial est chargé du Système généralisé des préférences (SGP), un groupe intergouvernemental traite des 47 pays les moins avancés. La CNUCED dispose d'un budget de 35 millions de dollars et compte environ 400 fonctionnaires internationaux, personnel du Secrétariat des Nations unies.

▆▆▆▆ Sa mission

Deux buts lui ont été fixés : favoriser l'expansion dans une perspective de développement, et abolir les échanges inégaux en formulant un nouvel ordre économique international. De nombreuses organisations internationales et non gouvernementales (ONG) ont un statut d'observateurs au sein de la CNUCED.

▆▆▆▆ Son activité

La principale réforme adoptée par cet organisme international est le « système généralisé des préférences » (SGP). En 1971, la CNUCED élabore un ensemble de concessions tarifaires accordées par les États développés aux pays en développement. Cet accord porte sur un montant de 60 milliards de dollars en 1990, dont le tiers avec la Communauté économique européenne. Vingt-deux États industrialisés et 5 pays d'Europe centrale et orientale réduisent ou suppriment leurs droits de douane sur les importations de produits manufacturés en provenance des Pays en développement (PED). Le principe d'application de non-réciprocité est simple : les avantages accordés au tiers-monde ne constituent pas la contrepartie d'avantages équivalents que ces pays consentiraient aux États du Nord.

▆▆▆▆ La notion de « pays les moins avancés »

Il revient à la CNUCED d'avoir attiré l'attention de la communauté internationale sur la notion de Pays les moins avancés (PMA) définis par des critères de pauvreté (PIB par habitant inférieur à 200 dollars par an, taux d'analphabétisme des adultes dépassant 70 %, part réduite de l'industrie dans la richesse produite). Les pays nantis doivent leur consacrer 0,15 % de leur PIB, mais cette aide n'atteint en réalité que 0,09 %.

LES DIFFÉRENTES CNUCED

	Dates	Lieu	Résultats
CNUCED I 120 États	23 mars - 17 juin 1964	Genève (Suisse)	• principe de préférences tarifaires en faveur des seuls PVD • créée à la demande des États socialistes et des PVD
CNUCED II	1er février - 23 mars 1968	New Dehli (Inde)	• résolution adoptant le principe de l'aide aux PVD : 1 % du PNB • les PVD bénéficient de réductions de droits de douane pour certains produits de base : système généralisé des préférences (SGP) mis en œuvre le 1er juillet 1971
CNUCED III	13 avril - 21 mai 1972	Santiago du Chili (Chili)	• élaboration de la notion de PMA (Pays les moins avancés)
CNUCED IV	5 - 31 mai 1976	Nairobi (Kenya)	• dans le cadre du dialogue Nord - Sud (conférence de Paris), mise en place d'un programme intégré pour les 18 principaux produits de base (constitution d'un stock régulateur) entré en vigueur en 1989
CNUCED V 159 États	7 mai - 3 juin 1979	Manille (Philippines)	• lancement d'une stratégie de solidarité Sud - Sud (entre pays pauvres)
CNUCED VI 160 États, plus de 2 000 délégués	6 juin - 2 juillet 1983	Belgrade (ex - Yougoslavie)	• nombreuses dissensions internes entre PED, aucun résultat probant
CNUCED VII	9 juillet - 3 août 1987	Genève (Suisse)	• adhésion de l'URSS au fonds commun destiné à stabiliser les prix des matières premières • condamnation du protectionnisme • traitement cas par cas du problème de la dette du tiers - monde
CNUCED VIII 171 États	8 au 25 février 1992	Carthagène (Colombie)	• faire admettre un nouveau partenariat pour le développement • prévoir une réforme institutionnelle

■ La conception globale du développement

« Il conviendrait de renforcer et d'élargir la coopération technique, dans les limites des ressources disponibles, et de l'intégrer à tous les domaines de travail pertinents de la CNUCED, en tenant compte de la nécessité d'une interaction effective entre les principales fonctions de la CNUCED et d'une coordination réelle et continue avec les autres institutions du système des Nations unies s'occupant de coopération technique. Celle - ci participe d'une conception globale du développement visant à appuyer les efforts nationaux dans les domaines de compétence de la CNUCED et à renforcer la capacité des pays de gérer leur propre développement et de participer à part entière aux délibérations internationales dans ces domaines, ainsi que d'en tirer pleinement profit ». L'Engagement de *Carthagène*, adopté en février 1992 par la *CNUCED VIII*.

SOURCES
INSTITUTIONS
PERSONNES
DOMAINE PUBLIC
ÉCONOMIE
CONFLITS

L'arme alimentaire

Les produits agricoles, tout comme l'énergie ou le matériel de haute technologie, constituent un élément essentiel de stratégie. L'arme alimentaire est à la fois un instrument de persuasion et de dissuasion reposant sur deux concepts fondamentaux : faim et développement.

Les détenteurs de l'arme alimentaire

Seuls quelques États détiennent le *food power* grâce à une production massive de matières premières et à un filtrage marqué des pays bénéficiaires. Par l'intermédiaire d'une poignée d'entreprises, les États-Unis, l'Australie, le Canada, la France et l'Argentine fournissent les 4/5 des céréales exportées et nourrissent une partie importante de la population mondiale.

L'application de l'arme alimentaire

☐ En décembre 1973, le patron de la puissante centrale syndicale américaine, l'AFL-CIO, avait souhaité sans succès la suspension des exportations de produits alimentaires vers les pays membres de l'OPEP. Cette mesure aurait ainsi répondu à l'embargo pétrolier décrété par le cartel pétrolier.

☐ L'Administration américaine était parvenue, en septembre 1975, à obtenir la neutralité de l'URSS au moment de l'accord israélo-égyptien de désengagement sur le Sinaï, par la simple menace d'utiliser l'arme alimentaire à son encontre.

☐ Cependant, le cas le plus significatif dans ce domaine a été la décision du président Carter, le 4 janvier 1980, d'appliquer un embargo sur les livraisons de céréales à destination de l'URSS en réplique à l'entrée de l'Armée rouge en Afghanistan.

☐ Principal donateur, les États-Unis fournissent leur aide sur la base du programme « food for peace » (loi de 1954) à des pays considérés comme « amis ». La CEE n'est pas en marge de cette stratégie, puisqu'elle a également suspendu son aide alimentaire au Viêt-nam en juillet 1979 pour atteinte aux droits de l'homme.

Une arme à double tranchant

L'arme verte est à utiliser avec nuances et n'est efficace qu'à certaines conditions.

– L'État doit s'assurer, afin d'écouler sa production, que des États acheteurs pourront se substituer à l'État sanctionné par l'embargo.

– De plus, tous les partenaires (agriculteurs, intermédiaires agréés et les administrations concernées) doivent être associés à la décision et poursuivre le même objectif : faire plier l'adversaire. Un maillon manque et tout l'édifice est compromis.

– D'autres États producteurs de produits agricoles ne doivent pas livrer ces produits à l'État sanctionné au lieu et place de l'État ayant recours à l'embargo (exemple : l'Argentine et le Canada livrèrent des céréales à l'URSS en 1980).

– Enfin, l'État doit obtenir l'adhésion de son opinion publique. Or, l'embargo céréalier de 1980 sur l'URSS décidé par le président américain provoqua le mécontentement des agriculteurs américains qui votèrent pour le candidat Reagan, ce dernier ayant promis de suspendre l'embargo et le fit.

L'OPPOSITION PAYS RICHES-PAYS PAUVRES

Caractéristiques	Pays les moins avancés (PMA)	Pays développés à économie de marché (PDEM)
Part du secteur primaire dans la population active (agriculture)	91 % (60 % pour les Pays en développement = PED)	3 %
Taux de mortalité infantile pour 1 000	132 %	18 %
Nombre de calories par jour et par personne	1950	3360
Taux d'alphabétisation concernant les adultes	32 %	97 %
Pourcentage de la population ayant accès à l'eau potable	33 %	99 %
Nombre de médecins pour 1 000 habitants	10	205
Nombre de téléphones pour 1 000 habitants	3	605
Espérance de vie à la naissance en années	47 ans	73,5 ans

■ Une répartition inégale

Les 20% les plus riches se partagent :

82,7% du revenu mondial
80,5% de l'investissement
81,2% du commerce
94,6% de l'épargne

11,7 % du revenu mondial

chaque "quartier" représente 20 % de la population mondiale

2,3 % du revenu mondial

1,9 % du revenu mondial

Les 20% les plus pauvres se partagent :

1,4 % du revenu mondial
1,3 % de l'investissement
1 % du commerce
1 % de l'épargne

d'après L'Express

En termes de consommation réelle, le Nord, qui abrite un quart de la population mondiale, consomme 70 % de l'énergie de la planète, 75 % des métaux, 85 % du bois et 60 % de la nourriture produite.

SOURCES

INSTITUTIONS

PERSONNES

DOMAINE PUBLIC

ÉCONOMIE

CONFLITS

La BIRD

Créée en même temps que le Fonds monétaire international en juillet 1944, La Banque internationale pour la reconstruction et le développement (BIRD), encore appelée « Banque Mondiale », est une institution spécialisée rattachée à l'ONU. Son siège est situé à Washington.

Ses objectifs

Les objectifs de cet organisme à la structure mixte (un Conseil des gouverneurs où tous les États membres sont représentés et un Conseil d'administration plus restreint, dont le président est toujours un Américain) sont multiples :
– elle cherche à aider à la reconstruction et au développement en facilitant l'investissement de capitaux à des fins productives ;
– elle assure la promotion des investissements privés à l'étranger. La BIRD favorise également l'expansion des échanges internationaux à long terme et l'équilibre des balances des paiements ;
– en dernier lieu, la BIRD offre une assistance technique au développement des États par l'envoi d'experts.

Son fonctionnement juridique

Intermédiaire entre les détenteurs de capitaux et leurs utilisateurs, la Banque mondiale accorde des prêts (d'une durée de 10 à 20 ans) et se procure des fonds par le moyen d'emprunts sur le marché financier sous forme d'obligations. Ces prêts et garanties supposent l'accord de l'État membre emprunteur ou le garant du prêt consenti. Ils sont individualisés en fonction de projets précis de reconstruction ou de mise en valeur (les considérations politiques sont exclues). Ils ne sont accordés qu'à titre subsidiaire, c'est-à-dire lorsque l'emprunteur — qui doit être solvable — ne peut faire autrement pour se procurer un prêt.

Son action

□ C'est à partir de 1968 que l'activité de la BIRD s'est diversifiée. Cette action multiforme porte sur de nombreux secteurs (exemples : les transports, l'énergie, l'industrie, l'agriculture et l'éducation) et concerne surtout l'Amérique latine, l'Asie, l'Afrique du Nord et de l'Ouest.
□ Pour compléter les missions de la BIRD, a été créée la Société financière internationale par résolution de l'Assemblée générale de l'ONU du 11 décembre 1954. Cette organisation vise à encourager les entreprises privées de caractère productif.
□ Mais les pays en développement reprochent à la BIRD d'une part de s'immiscer dans les politiques économiques intérieures lors de l'octroi de prêts et, d'autre part, d'accorder des prêts sur une période trop brève et à un taux d'intérêt élevé au terme d'une procédure lourde.
□ Le taux d'intérêt retenu par la BIRD varie en fonction de trois facteurs : le coût de l'emprunt qu'elle effectue sur le marché financier, le taux de rendement que son capital et ses réserves fournissent et la situation économique de l'emprunteur.

DÉVELOPPEMENT ET SOUS-DÉVELOPPEMENT

Les 20 premiers

	Pays	Espérance de vie à la naissance (années 1991)	Années de scolarité (moyenne) 1991	PIB réel par habitant 1991 (en $ ajusté)
1	Canada	77,0	12,1	18 635
2	Japon	78,6	10,7	14 311
3	Norvège	77,1	11,6	16 838
4	Suisse	77,4	11,1	18 590
5	Suède	77,4	11,1	14 817
6	États-Unis	75,9	12,3	20 998
7	Australie	76,5	11,5	15 266
8	France	76,4	11,6	14 164
9	Pays-Bas	77,2	10,6	13 351
10	Royaume-Uni	75,7	11,5	13 732
11	Islande	77,8	8,9	14 210
12	Allemagne	75,2	11,1	14 507
13	Danemark	75,8	10,4	13 751
14	Finlande	75,5	10,6	14 598
15	Autriche	74,8	11,1	13 063
16	Belgique	75,2	10,7	13 313
17	Nᵉ Zélande	75,2	10,4	11 155
18	Israël	75,9	10,0	10 448
19	Luxembourg	74,9	8,4	16 537
20	Barbade	75,1	8,9	8 351

Les 20 derniers

	Pays	Espérance de vie à la naissance (années 1991)	Années de scolarité (moyenne) 1991	PIB réel par habitant 1991 (en $ ajusté)
141	Malawi	48,1	1,7	620
142	Burundi	48,5	0,3	611
143	Guinée Équat.	47,0	0,8	706
144	Rép. Centrafr.	49,5	1,1	770
145	Soudan	50,8	0,8	1 042
146	Mozambique	47,5	1,6	1 060
147	Bhoutan	48,9	0,2	750
148	Mauritanie	48,9	0,3	1 092
149	Bénin	47,0	0,7	1 030
150	Tchad	47,0	0,2	582
151	Somalie	46,5	0,2	861
152	Guinée-Bissau	46,1	0,3	820
153	Djibouti	42,5	0,3	730
154	Gambie	48,0	0,6	886
155	Mali	44,0	0,3	576
156	Niger	45,5	0,1	634
157	Burkina Faso	48,2	0,1	617
158	Afghanistan	42,5	0,8	710
159	Sierra Leone	42,0	0,9	1 061
160	Guinée	43,5	0,8	602

SOURCES

INSTITUTIONS

PERSONNES

DOMAINE PUBLIC

ÉCONOMIE

CONFLITS

Le Système monétaire international

Perçu comme une nécessité, le SMI accompagne dès le xixᵉ siècle l'essor du commerce entre États. À cette époque le système de paiement international est le régime de l'étalon-or.

▆▆▆▆ Les origines du SMI

En 1819, le Royaume-Uni, première puissance politique et économique, dicte les politiques monétaires aux Banques centrales des États en raison de la masse de capitaux convergeant vers la City à Londres. Ce centralisme monétaire confère à la livre sterling le rôle de devise internationale aussi recherchée dans les échanges que l'or, d'où le régime d'étalon or- espèce. La Première Guerre mondiale marque le déclin de la livre et la venue du dollar US sur la scène monétaire internationale ; les États-Unis, en finançant le conflit, deviennent les créanciers du monde.

▆▆▆▆ La conférence de Bretton Woods

☐ Après l'embryon de système défini à Gênes en 1922, la Seconde Guerre mondiale met entre parenthèses toute tentative de régulation du SMI. La conférence internationale, réunissant 44 États à Bretton Woods aux États-Unis, élimine trois pratiques considérées comme facteurs aggravants de la crise des années trente (déflation, protectionnisme et guerre des monnaies) et fonde un SMI nouveau sur les principes suivants : les monnaies ne sont pas directement convertibles en or ; elles sont convertibles en dollars US et les unes contre les autres ; seul le dollar US est convertible en or sur la base de 35 dollars l'once (1 once = 28 grammes) ; les parités sont fixes mais ajustables (± 1 % de marge autorisée par le FMI) ; le respect de l'équilibre de la balance des paiements et l'interdiction des dévaluations compétitives.
☐ Ce système de parités fixes, qui donne aux États-Unis le leadership monétaire mondial, est assuré par une organisation internationale rattachée à l'ONU : le FMI. Mais le SMI va se dérégler à partir de 1950 sous l'effet du déficit extérieur américain, qui ne cesse de se creuser en raison de l'accumulation de dollars US dans les banques centrales, et du développement des balances dollars dans le monde.

▆▆▆▆ Un nouveau système monétaire : les accords de la Jamaïque

☐ En 1960, les dollars circulant dépassent la valeur du stock d'or américain. Les États demandent la conversion en or des dollars qu'ils détiennent. Incapable de faire face à cette demande, le président Nixon suspend la convertibilité-or du billet vert le 15 août 1971. De fait, les monnaies flottent et le système de Bretton Woods a vécu.
☐ Il est remplacé, en 1976, par les accords de la Jamaïque qui entrent en vigueur en 1978. Ce SMI, dénommé « parités flexibles et dollar standard », marque la rupture des parités fixes. Provoqué par les deux dévaluations du dollar (1971 et 1973), le premier choc pétrolier et le flottement de la devise américaine, le régime jamaïcain institutionnalise les changes flottants, abolit toute référence à l'or et fait du DTS le principal avoir de réserve du SMI.

LES TURBULENCES DU DOLLAR

Les variations, les distorsions du dollar par rapport aux autres devises sont, soit le reflet d'une situation internationale en mutation (exemples : action de l'OPEP, fin de la guerre du Viêt-nam, réchauffement des relations Est-Ouest, crise du golfe…), soit le résultat de politiques économiques parvenant à restaurer les grands équilibres (exemples : régression ou augmentation du chômage, maîtrise de l'inflation, réduction des déficits budgétaire et commercial, reprise de l'investissement, etc).

Les économies nationales naviguent, par des infléchissements de politiques macro-économiques, entre ces deux écueils, sans parvenir à assurer un cap régulier.

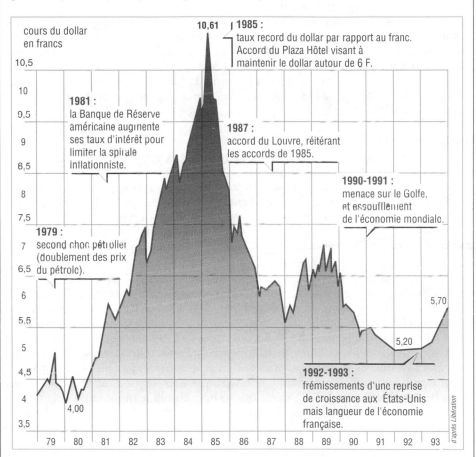

cours du dollar en francs

10,61

1985 :
taux record du dollar par rapport au franc.
Accord du Plaza Hôtel visant à maintenir le dollar autour de 6 F.

1981 :
la Banque de Réserve américaine augmente ses taux d'intérêt pour limiter la spirale inflationniste.

1987 :
accord du Louvre, réitérant les accords de 1985.

1990-1991 :
menace sur le Golfe, et essoufflement de l'économie mondiale.

1979 :
second choc pétrolier (doublement des prix du pétrole).

4,00

1992-1993 :
frémissements d'une reprise de croissance aux États-Unis mais langueur de l'économie française.

5,70

5,20

d'après Libération

79 80 81 82 83 84 85 86 87 88 89 90 91 92 93

SOURCES

INSTITUTIONS

PERSONNES

DOMAINE PUBLIC

ÉCONOMIE

CONFLITS

Le FMI

Le Fonds monétaire international a été créé en juillet 1944 à l'issue de la conférence de Bretton Woods. Gendarme monétaire du monde, notamment depuis l'adhésion en 1992 de la Russie et des Républiques de l'ex-URSS, le FMI voit croître ses missions et le nombre de ses membres (178).

■■■■ Son organisation

Elle repose sur trois types d'organes :
– le Conseil des gouverneurs est l'instance souveraine délibérative où chaque État membre est représenté par un gouverneur et son suppléant ;
– le Conseil d'administration, comprenant 22 membres, traite des questions relatives à la politique et au fonctionnement du Fonds ;
– le Directeur général — actuellement le Français Michel Camdessus — est choisi par les administrateurs. Sa fonction est d'assurer la mise en œuvre des décisions et d'orienter la politique du FMI.

■■■■ Ses objectifs

Les buts de cette institution spécialisée rattachée à l'ONU se fondent sur la coopération internationale par le biais d'études d'experts économiques et financiers. Le FMI facilite l'expansion du commerce mondial et contribue ainsi au développement de ses États membres. Il permet la stabilité des changes et vient en aide aux États membres en difficulté (déficits commerciaux, remboursement de la dette).

■■■■ Ses modalités d'action

☐ L'aide financière du Fonds aux États membres va de pair avec la réforme de leur politique économique : c'est ce qu'on appelle dans le vocabulaire de cette organisation internationale la « conditionnalité ». En conséquence, lorsque le Fonds prête des concours financiers à un pays membre, il doit avoir l'assurance que la politique de cet État vise à réduire les déséquilibres de sa balance des paiements.
☐ Le FMI dispose d'une série d'aides qu'il accorde à ses membres sous certaines conditions selon des modalités techniques complexes. Globalement, l'accès des pays aux ressources financières du Fonds est déterminé par leur quote-part ou contribution reflétant la puissance économique de chaque État et exprimée en droits de tirage spéciaux (DTS). Cette quote-part établit le nombre de voix dont le pays dispose au FMI (outre les 250 voix de base auxquelles il a droit), à raison d'une voix pour chaque tranche de 10 000 DTS de quote-part. Le pays membre doit verser au plus 25 % de sa quote-part en DTS ou en monnaies d'autres États membres choisis par le FMI, avec leur accord, et le solde en sa propre devise.
☐ Considéré comme un club de riches, le Fonds monétaire international, devenu l'une des organisations les plus universelles (la Chine est membre du Fonds depuis 1980), multiplie ses activités sur les cinq continents. Chaque État membre sans exception a pu bénéficier de ses aides. Le Fonds, toujours à la recherche de liquidités, relève régulièrement la quote-part des membres.

LE FMI ET LA CEI

■ Chronologie des relations du FMI avec l'ex-URSS

Juillet 1944. L'URSS participe à la conférence de Bretton Woods, mais décide finalement de ne pas adhérer au FMI.

1945-1989. Des représentants du FMI et de l'URSS ont occasionnellement des contacts informels.

Juillet 1990. Le FMI est invité par le Groupe des 7 à participer à l'étude conjointe de l'économie soviétique, aux côtés de la Banque mondiale, de l'Organisation de coopération et de développement économique (OCDE) et de la Banque européenne pour la reconstruction et le développement (BERD).

Décembre 1990. Les recommandations de l'étude conjointe sont publiées.

Octobre 1991. Le FMI et l'URSS créent entre eux une association spéciale.

Novembre 1991-avril 1992. Le FMI établit des liens plus étroits avec chacun des 15 États issus de l'ex-URSS et entreprend d'étudier leurs économies respectives.

Avril 1992. Le Conseil d'administration du FMI achève les études économiques préalables à l'adhésion des 15 États, annonce le montant de leur quote-part respective et leur mode de calcul, et soumet au Conseil des gouverneurs des projets de résolution proposant que ces 15 États soient tous admis au FMI. Le Conseil des gouverneurs décide d'admettre 14 États de l'ex-URSS en tant que membres du FMI.

Mai 1992. Le Conseil des gouverneurs décide d'admettre l'Azerbaïdjan, quinzième et dernier État de l'ex-URSS.

Juin 1993. Le Conseil d'administration du FMI approuve la demande de prêt de la Russie, au titre de « la facilité pour la transformation systémique », soit 3 milliards de dollars.

■ FMI : Quotas pour la CEI (en M$)

Russie	3 940
Ukraine	911
Biélorussie	256
Kazakhstan	226
Ouzbekistan	182
Géorgie	101
Moldavie	52
Arménie	62
Kirghistan	59
Tadjikistan	55
Turkmenistan	44

■ Aide occidentale à la Russie en 1992

En millions de dollars	Aide multi-latérale	Aide bilaté-rale	Fonds de stabilisation du rouble	Total
TOTAL	4 500	13 500	6 000	24 000
dont : FMI/BIRD	4 500			4 500
États-Unis		1 700	1 500	3 200
Allemagne		4 500	540	5 340
France		1 200	600	1 300

SOURCES
INSTITUTIONS
PERSONNES
DOMAINE PUBLIC
ÉCONOMIE
CONFLITS

Le Groupe des 7 : le G7

Selon un rituel appliqué depuis 1975, le Groupe des 7, c'est-à-dire les États les plus riches de la planète (États-Unis, Japon, Allemagne, France, Royaume-Uni, Canada et Italie, ces deux derniers États ayant rejoint le G5 en 1987), se réunit quatre fois par an pour débattre des grands problèmes monétaires et financiers.

Son statut

Juridiquement, le Groupe des 7 n'a pas d'existence propre puisqu'aucun statut écrit ou verbal ne le régit. Structure informelle, le G7 est une réunion d'États indépendants ayant comme caractéristiques : le partage des mêmes valeurs (démocratie, économie de marché), le développement et industrialisation, et la volonté de se réunir en « sommets » de chefs d'États et de gouvernements.

Une puissance économique et commerciale

☐ Ce directoire de grandes puissances rassemble également de façon régulière les ministres de l'Économie et des Finances et les gouverneurs des Banques centrales des 7 afin de déterminer et de préparer les thèmes qui seront discutés au cours des sommets.
☐ Instance décisionnelle, le Groupe des 7, véritable triangle américano-européen-japonais, constitue un pôle de puissance économique et commerciale sans précédent. Cette tripolarité représente 55 % de la richesse produite dans le monde, détient 45 % des réserves monétaires mondiales et recouvre 53 % des exportations du globe.

Les différents sommets des 7

Vingt et un sommets des 7 pays les plus industrialisés ont marqué l'histoire économique et financière de ces deux dernières décennies. Les plus importants ont été les suivants :

Noms des sommets	Date	Contenu
Sommet de Rambouillet	novembre 1975	organiser des rencontres de haut niveau entre États riches
Sommet de Williamsburg (E-U)	mai 1983	• déclaration sur la reprise économique • négociation d'un Système monétaire international
Sommet du Louvre	février 1987	stabiliser le cours du dollar américain autour de 6 francs (confirmation de l'accord du Plaza Hotel du G5 de 1985)
Sommet de Londres	juillet 1991	plan en 6 points pour aider l'URSS (G7 + 1 -l'URSS) ; l'idée d'associer l'URSS au G7 avait été émise au sommet de l'Arche, à Paris, en juillet 1989
Sommet de Washington	avril 1992	plan de financement de 18 milliards de dollars en faveur de la Russie et 6 milliards de dollars pour le fonds de stabilisation du rouble
Sommet de Munich	juillet 1992	• chômage et croissance : principaux sujets de préoccupation • volonté des 7 de faire aboutir l'*Uruguay Round*

DE L'UTILITÉ DES SOMMETS ?

■ Plaidoyer en faveur des sommets

Les réunions périodiques des États membres du groupe des sept pays les plus industrialisés (G7) ont le mérite de maintenir, voire d'approfondir le dialogue entre les principaux États.

Les réflexions partagées, les prises de position parfois audacieuses de tel ou tel chef d'État ou de gouvernement (exemples : le sort de la Bosnie, la décision d'envoyer des forces armées sur les terrains d'affrontements, les propositions pour sortir de l'impasse les laborieuses négociations du 8ᵉ *Round* du GATT, les solutions au dérèglement du Système monétaire international, la résolution de la dette vertigineuse du tiers-monde ou l'aide à la Russie) sont utiles. En effet, ces sommets renforcent les liens politiques et économiques des États présents et permettent, à terme, de prendre en principe des décisions.

■ Procès à l'encontre des sommets

Ces réunions des sept Grands de la Planète sont terriblement coûteuses à organiser. Elles déplacent des centaines de journalistes, représentent en matière de sécurité des personnalités invitées une opération délicate pour le service d'ordre, occasionnent des embouteillages mons-tres... pour des résultats médiocres et le plus souvent peu suivis d'effets.

■ Vers une réforme de ces sommets

Évoquée à Tokyo en 1993 par la délégation française, une refonte de ces réunions du G7 — qui pourrait d'ailleurs s'élargir bientôt à la Russie — semble nécessaire. Il faudrait envisager d'une part, un ordre du jour précis et, d'autre part, créer une sorte de bureau de liaison entre les États qui aurait pour tâche de s'assurer des effets concrets donnés aux principes directeurs définis par les chefs de délégation ; autrement dit, institutionnaliser ces sommets pour les rendre pleinement opérationnels et efficaces.

■ Extraits de la déclaration politique du sommet du G7 à Tokyo, 8 juillet 1993

■ Bosnie

« Les résolutions du Conseil de sécurité relatives aux zones de sécurité doivent être entièrement et immédiatement mises en œuvre. »

■ Proche-Orient

« Nous soutenons entièrement les efforts visant à aboutir à un règlement de paix global et durable au Proche-Orient, et nous appelons Israël et les États arabes à prendre de nouvelles mesures de confiance. Nous réaffirmons que le boycottage arabe devrait prendre fin. Nous demandons à Israël de respecter ses obligations vis-à-vis des territoires occupés.

Préoccupés par des aspects du comportement de l'Iran, nous appelons le gouvernement de ce pays à participer de manière constructive aux efforts internationaux déployés en vue de la paie et de la stabilité, et à mettre fin aux actions contraires à ces objectifs. »

■ Russie

« Nous soutenons fermement les efforts déterminés de réforme entrepris par la Russie sous la direction du président Eltsine et de son gouvernement [...]. »

SOURCES
INSTITUTIONS
PERSONNES
DOMAINE PUBLIC
ÉCONOMIE
CONFLITS

L'union monétaire européenne

À l'issue des conseils européens de Madrid et de Strasbourg (juin et décembre 1989), la CEE décide de s'engager en moins de dix années sur la voie d'une union monétaire.

■■■■ Du « serpent monétaire » au SME

Les accords de Bâle créent, le 24 avril 1972, le serpent monétaire européen. Grâce à ce mécanisme, les Banques centrales des États membres interviennent pour assurer le maintien des marges de fluctuations de leur monnaie à 2,25 % au-dessus et au-dessous de la parité. Mais, dès juin 1972, de nombreuses monnaies flottent : le « serpent sort du tunnel ». Il faut dès lors concevoir un système plus stable et fiable. La mise en œuvre du Système monétaire européen (SME) est décidée par le Conseil européen de Bruxelles du 4-5 décembre 1978 et entre en vigueur le 13 mars 1979.

■■■■ Le Système monétaire européen

Il crée une nouvelle unité monétaire européenne : l'Écu (*European Currency Unit* selon le sigle anglais et ancienne monnaie française frappée au XIIIe siècle). Cette unité repose sur un panier composé des monnaies de tous les États membres. L'Écu remplit quatre fonctions. C'est un moyen de règlement entre les autorités monétaires de la CEE. C'est aussi un numéraire pour le mécanisme des taux de change. Il fait office d'étalon pour toutes les opérations effectuées dans le cadre du système d'intervention. L'Écu sert de base de référence pour le fonctionnement de l'indicateur de divergence. La quote-part de chaque monnaie est révisée tous les cinq ans en fonction du poids économique de chacun des pays membres.

■■■■ Le SME et le mécanisme d'intervention

☐ Le SME s'appuie sur un mécanisme de change et d'intervention : chaque monnaie a un cours de référence (cours-pivot) par rapport aux autres devises. L'écart entre deux monnaies est fixé à plus ou moins 2,25 % de part et d'autre de la parité. Si une monnaie s'écarte trop de ce cours (on parle de « divergence »), les autorités monétaires doivent intervenir.

☐ Enfin, la solidarité entre pays membres est assurée par le Fonds européen de coopération monétaire (FECOM) qui reçoit 20 % des réserves en or et en devises des États membres en échange d'Écus inscrits dans le bilan des Banques centrales.

■■■■ Bilan de quinze années de SME

Depuis sa création, le SME a permis d'atteindre trois résultats tangibles :
– la stabilité des taux de change des devises européennes ;
– la convergence des politiques économiques, en particulier dans la maîtrise de l'inflation ;
– et le développement du rôle de l'Écu, étalon de référence pour certains contrats internationaux.

■ L'union monétaire européenne doit s'opérer par étapes

■ La première phase a été lancée le 1er juillet 1990 par la libération des mouvements de capitaux et l'intégration de toutes les monnaies dans le SME. Ainsi, la livre sterling adhère en octobre 1990 au mécanisme de change du Système.

■ La deuxième phase, qui doit s'appliquer à partir du 1er janvier 1994 selon les conférences intergouvernementales sur l'Union économique et monétaire (UEM) de décembre 1990 à Rome. Elle consacre la création d'un système de banques centrales (l'Institut monétaire européen ou IME), la mise en commun des réserves et la fixation irrévocable des parités.

■ Enfin, au plus tôt en janvier 1997, s'effectuera la troisième étape qui prend appui sur trois idées-forces :

– une monnaie unique au plus tard le 1er janvier 1999 qui sera en principe l'Écu ;

– l'instauration d'une Banque centrale européenne (BCE) qui remplacera l'IME et dont les dirigeants seront nommés d'un commun accord par les Douze ;

– une politique européenne monétaire unique.

■ Officiellement entérinée en décembre 1991 au sommet de Maastricht (Pays-Bas) et signée le 7 février, la marche vers l'union monétaire risque d'être longue si l'on tient compte des réticences déjà exprimées par certains États. Ainsi, grâce à la clause *opting out*, le Royaume-Uni pourra décider de remplacer la livre sterling par l'Écu quand il le voudra.

■ La crise de 1993 : la remise en cause des principes

Ne souhaitant plus intervenir, fin juillet 1993, sur les marchés des changes pour soutenir le franc français attaqué de toutes parts par les spéculateurs internationaux notamment américains – comme le requièrent pourtant les règles du SME –, la Banque centrale allemande (la Bundesbank ou Buba) a provoqué une véritable tempête monétaire et a hypothéqué par là l'avenir de l'Europe monétaire.

Après plusieurs heures de négociations, un compromis monétaire est atteint le 2 août 1993 à Bruxelles. Cet accord permet le maintien en vigueur du Système monétaire européen. La grille des parités des devises des 12 États membres de la Communauté européenne ne subit pas non plus de modifications. Aucune dévaluation officielle n'est décidée. Mais les Douze apportent un assouplissement très important au SME : les marges de fluctuation des monnaies par rapport à leur taux pivot, sont portées à titre temporaire de 2,25 % à 15 %, soit une marge de fluctuation considérablement élargie (certains analystes ont pu parler de « boulevard »). À l'issue d'une telle décision, il n'y a désormais plus aucun garde-fou pour maintenir la stabilité des changes à l'intérieur de la Communauté, stabilité présentée jusqu'ici comme la garantie d'une croissance économique soutenue en Europe. Une semaine après ce séisme monétaire, qui a marqué les limites de la coopération monétaire en Europe, le chancelier allemand Helmut Kohl, tirant les leçons de la crise, n'excluait pas un report de 1 ou 2 ans de l'échéancier de mise en place de la monnaie unique, telle que la définit le traité de Maastricht (1997 ou 1999).

SOURCES

INSTITUTIONS

PERSONNES

DOMAINE PUBLIC

ÉCONOMIE

CONFLITS

Les pays non alignés

Tenue en 1955 à Bandoeng (Indonésie), la première conférence afro-asiatique marque l'émergence des peuples colonisés. Sous une forme embryonnaire, le mouvement des Pays non alignés (PNA) est né. Quarante ans plus tard, le Mouvement des non-alignés est devenu le porte-parole politique du tiers-monde.

▬▬▬ Les raisons du mouvement des pays non alignés

Animés à l'origine par les trois pères fondateurs du mouvement (l'Indien Nehru, le Yougoslave Tito et l'Égyptien Nasser), les PNA entendent avec fermeté :
– affirmer leur neutralisme à l'égard des blocs et représenter une «troisième voie» en se dégageant ainsi de la rivalité Est-Ouest ;
– refuser le colonialisme, le néo-colonialisme et l'impérialisme ;
– tirer le plus grand profit économique de la rivalité bipolaire des Blocs, en ne concluant aucun accord militaire avec une grande puissance.

▬▬▬ Les PNA : une structure informelle

Les non-alignés ne prennent pas à proprement parler de décisions. Leurs chefs d'État ou de gouvernement se réunissent à intervalles réguliers pour adopter des résolutions et des déclarations solennelles. Entre ses sessions, un bureau de coordination est chargé de veiller à l'application de ces textes.

▬▬▬ Antagonismes et crise d'identité du mouvement des PNA

☐ Le mouvement des PNA s'est fixé certains buts mais se heurte à des difficultés économiques et idéologiques qui entament sa crédibilité internationale et son audience auprès des États développés. Le dénominateur commun à ces États est le sous-développement. Les PNA réclament la création d'un nouvel ordre économique international mais cela ne suffit pas à maintenir l'unité du mouvement. En réalité, les États membres du mouvement n'ont parfois que peu d'intérêts communs.
☐ Plusieurs conflits internes, notamment après la disparition des fondateurs historiques (Tito, Nasser), secouent gravement le mouvement sur ses bases. Quelle forme doit adopter le mouvement : régionale, institutionnelle ou rester une simple conférence devant se réunir tous les trois ans ? Les PNA ont été ou sont incapables de résoudre certains conflits : Viêt-nam, Congo, Nigéria, Cambodge, Salvador, guerre du Golfe, ex-Yougoslavie… Le mouvement est par ailleurs malmené par des dissensions internes : États arabes et africains, États maximalistes (Cuba et la Libye) et États plus mesurés (l'Inde et l'Argentine).
☐ Un problème d'identité apparaît également car le mouvement des PNA se confond avec le Groupe des 77. Ce groupe, qui compte 130 États, a adopté, lors de la conférence d'Alger en 1973, la célèbre trilogie des 3 D (décolonisation, développement et désarmement).
☐ À terme, l'avenir du mouvement des PNA semble devoir se poser. En 1989, le Groupe des 15 est fondé en vue d'approfondir le dialogue Sud-Sud et de chercher une « autre voie » pour les non-alignés.

LE NON-ALIGNEMENT EN ACTION

■ Historique : la conférence de Bandoeng

Du 17 au 24 avril 1955, se tient à Bandoeng (Indonésie) la Conférence des peuples afro-asiatiques (29 États, dont 23 asiatiques et 6 africains, des observateurs du Maghreb, de Chypre et de Palestine), soit 55 % de la population mondiale et 8 % du revenu mondial. L'objectif de cette réunion est la prise de conscience politique d'une situation commune : le sous-développement. Sous l'impulsion des présidents Nehru, Tito et Nasser, la conférence pose les principes directeurs du neutralisme et de la coexistence pacifique entre les peuples (non-intervention, respect de la souveraineté des États, respect des droits fondamentaux, abstention du recours à la force, règlements des conflits par des moyens pacifiques). Bandoeng marque ainsi l'émergence du « tiers-monde » (expression d'Alfred Sauvy datant de 1952) sur la scène internationale et augure de la nouvelle attitude collective du non-alignement.

■ Les propositions de la conférence de Bandoeng

Bandoeng va assez loin en ce qui concerne les thèmes abordés. Trois thèmes ont en effet dominé les travaux : le colonialisme (l'anti-colonialisme et l'anti-occidentalisme font l'unanimité des participants), le neutralisme et le développement économique et culturel (coopération entre États, appel aux Organisations internationales et à l'ONU). C'est le neutralisme ou non-alignement qui soulève le plus de difficultés. Des controverses naissent entre les partisans du non-alignement sur les blocs existants (comme l'Indien Nehru) et le groupe pro-occidental (exemple : le Pakistan), qui craignent la politique communiste.
En fait, les partisans du neutralisme apparaissent non pas comme un troisième bloc, mais comme un groupe partageant des intérêts communs et un passé voisin.
Le président sénégalais, Léopold Sédar Senghor, a cette phrase : « Bandoeng, la mort du complexe d'infériorité pour les peuples de couleur. »

■ Les différents sommets des PNA

Sommets des PNA	Membres participants	États observateurs	États invités
1er sommet, Belgrade, 1-6 sept. 1961	25	3	–
2e sommet, Le Caire, 5-10 octobre 1964	47	10	--
3e sommet, Lusaka, 8-10 sept. 1970	54	9	–
4e sommet, Alger, 5-9 sept. 1973	75	9	3
5e sommet, Colombo, 16-19 août 1976	86	10	7
6e sommet, La Havane, 3-9 sept. 1979	93	12	8
7e sommet, New Dehli, 7-12 mars 1983	101	10	9
8e sommet, Harare, 1-7 sept. 1986	101	10	12
9e sommet, Belgrade, 4-7 sept. 1989	102	9	20
10e sommet, Djakarta, 1-6 sept. 1992	108	1	20

SOURCES

INSTITUTIONS

PERSONNES

DOMAINE PUBLIC

ÉCONOMIE

CONFLITS

Les associations de pays producteurs

Les matières premières sont d'une importance vitale pour les pays développés : leur population (consommation de produits alimentaires) et leur économie (métaux et énergie) en dépendent.

▰▰▰▰ Pays producteurs de matières premières : la dégradation des échanges

Les pays du tiers-monde, grands producteurs de matières premières, subissent depuis plus de deux décennies une dégradation des termes de l'échange : le rapport entre la valeur des exportations et des importations leur est défavorable. Plusieurs causes expliquent cela : la crise économique mondiale, la diminution des surfaces cultivées, la diminution de la consommation pour les produits agricoles et la présence de produits de substitution et la surproduction de certains produits de base.

▰▰▰▰ L'inefficacité des accords internationaux

Une des raisons essentielles de cette situation grave est l'inefficacité des accords internationaux pour la constitution de stocks régulateurs. L'illustration la plus probante de cette situation est le marché international du café. Le premier accord sur le café date de 1958. L'Organisation internationale du café, qui regroupe 51 États producteurs (Brésil et Colombie en tête) et 22 pays consommateurs, n'est pas parvenue — après une semaine de discussions à Londres à l'automne 1991 — à endiguer la chute des cours du café. La confusion règne au sein des associations internationales des pays producteurs et pourtant certaines sont très anciennes, comme par exemple le premier accord international sur le sucre qui remonte à 1937.

▰▰▰▰ L'Organisation des pays exportateurs de pétrole (OPEP)

□ Source d'énergie mécanique, de chaleur et matière première chimique, le pétrole a bouleversé le XXe siècle. L'OPEP, créée en 1960 par 5 États fondateurs, regroupe actuellement 12 États producteurs de pétrole. Le cartel a vu sa puissance décupler à la faveur du premier choc pétrolier d'octobre 1973 (guerre du Kippour) et en 1979 après la chute du Shah d'Iran (quadruplement puis doublement des prix).

□ Progressivement, l'action de l'OPEP s'est radicalisée, politisée et a permis le réveil d'un certain nationalisme. Les États membres du Cartel ont pris conscience que le pétrole, outre les ressources qu'il assure (pétro-dollars), constitue une arme stratégique et un formidable moyen de pression. Les exemples ne manquent pas pour illustrer cette dépendance des pays riches à l'égard du pétrole : la fermeture des robinets de pétrole durant la guerre Iran-Irak en 1979, la menace sur le détroit d'Ormuz miné en 1984 et par lequel passent les tankers pétroliers, ou encore l'invasion du Koweït par l'Irak le 2 août 1990 et la réaction armée de l'Occident.

□ Sensible à la conjoncture, le pétrole jouit d'un marché qu'aucune autre source d'énergie ne peut prétendre lui ravir. Mais la surproduction mondiale, les économies d'énergie en Occident et la concurrence de nouveaux pays producteurs de pétrole (Chine, Norvège…), limitent la stratégie de l'OPEP.

L'OPEP

Date et lieu de création	14 septembre 1960 à Bagdad
Siège	Vienne (Autriche)
Nombre d'États membres	12
États membres et date d'adhésion	1960 : Iran, Irak, Arabie Saoudite, Venezuela et Koweït 1961 : Qatar 1962 : Indonésie et Libye 1967 : Abû Dhabî (remplacé en 1974 par les Émirats arabes unis) 1969 : Algérie 1971 : Nigéria 1973 : Équateur 1975 : Gabon
Statut juridique	Organisation internationale depuis le 30 juin1965
Part dans la production mondiale de pétrole	1973 : 54 % 1978 : 48 % 1993 : 35 %
Production moyenne de pétrole en 1993	23 millions de barils
Prix moyen du baril de pétrole en 1993 (1 baril = 159,1 litres)	18 à 21 $ (taux record du baril : 40,15 $ le 9.10.1990)

■ Le prix du baril de pétrole Brent (pétrole brut de la Mer du Nord) et la crise du golfe

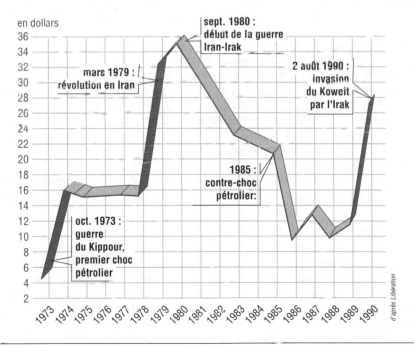

d'après Libération

SOURCES

INSTITUTIONS

PERSONNES

DOMAINE PUBLIC

ÉCONOMIE

CONFLITS

L'endettement du tiers-monde

Le tiers-monde s'enlise dans la dette. Les finances mondiales ne parviennent plus à juguler cette hémorragie. Des pays sont au bord de la faillite. Les solutions semblent inopérantes.

▪▬▬ L'ampleur du surendettement

La situation du fardeau de la dette en données chiffrées est édifiante :
– en 1971 : 87 milliards de dollars US ;
– en 1978 : 380 milliards ;
– en 1986 : 900 milliards ;
– en 1992 : 1574 milliards.
Une dette qui augmente chaque année, même si son rythme de croissance se ralentit.

▪▬▬ Les causes du surendettement : un constat difficile

☐ L'origine du mal est due à une accumulation des revenus des pays exportateurs de pétrole dans les comptes des banques privées (les pétro-dollars), au cours de la décennie 1970-1980. Ces banques ont ainsi pu répondre aux demandes de prêts du tiers-monde.

LES PAYS LES PLUS ENDETTÉS (en 1992)		
Pays	Dette (milliards de $)	% Dette (par rapport au PNB)
Brésil	123,5	23,5
Mexique	107	39,5
Inde	75,5	25,3
Indonésie	65,5	59,3
Sri Lanka	56	74,9
Chine	54,6	15
Turquie	48,6	39,4
Argentine	44,2	32
Corée du Sud	35,5	12,8
Thaïlande	35,1	36,9
Nigéria	32,6	110,1

☐ Les difficultés de remboursement de la part des pays pauvres ont diverses origines. Elles s'expliquent d'abord par la chute à l'exportation du prix des produits de base, dont le tiers-monde est grand producteur (café, sucre, cacao…). Ensuite, par le renforcement du protectionnisme dans les pays industrialisés pour cause de récession économique a durci la situation. Les fuites massives de capitaux privés du tiers-monde en raison de l'instabilité politique, notamment en Afrique, ont encore aggravé le problème. Une partie des emprunts contractés a été utilisée dans des investissements improductifs, de prestige, comme les dépenses d'armement, la construction d'une raffinerie de sucre géante au Gabon utilisée au 1/4 de son rendement.

▪▬▬ La décomposition de la dette

Cette dette s'articule en éléments distincts. Les crédits à l'exportation ont été octroyés généreusement mais aussi imprudemment par les pays développés. Des capitaux provenant de l'aide publique non gratuite ont été versés dans le cadre de l'Aide publique au développement. Le comité de l'ADP de l'OCDE recense chaque année cette aide internationale. Enfin, des prêts bancaires considérables ont été accordés sans précaution de 1970 à 1982-1983 par les grandes banques occidentales privées, notamment américaines, allemandes et japonaises.

L'ALLEMAGNE EN TÊTE DES BAILLEURS DE FONDS

	Aide humanitaire et aide d'urgence	Crédits liés à achats produits alimentaires	Autres financements d'importations	Crédits spécifiques	Refinancement d'arriérés	Assistance technique	En milliards de F.	en %
FRANCE (francs)	100 Ms don alimentaire 50 Ms aide médicale	7,5 Mds	2,45 Mds dont : 1 Md produits sidérurgiques 450 Ms produits chimiques 1 Md biens d'équipement		1,95 Md	250 Mds	12	4
ALLEMAGNE (marks)	700 Ms stocks Berlin		garanties de crédit – 4,7 Mds – 12 Mds (exports ex-RDA) Crédit 15 Mds créances ex-RDA	16,5 Mds	5 Mds	30 Ms	190	60
ITALIE (lires)			5 000 Mds crédits garantis 1 200 Mds crédits non liés garantis par Trésor		1 000 Mds		32,4	10,5
R.-U. (livres)	20 Ms aliments pour animaux					50 Ms	0,7	0,2
U.S.A. (dollars)	165 Ms	3,75 Mds	suppression plafonds garantie crédits			500 Ms	27	8,7
CANADA ($ can.)		1,46 Mds	500 Ms ligne de crédits garanties			20 Ms	12	4
JAPON (dollars)	300 Ms	100 Mds prêt garanti 500 Ms prêt	1,8 Md garanties pour exportations japonaises 200 Ms projets à financement garanti		350 Ms		19,5	6
CEE (écus)	250 Ms et 200 Ms	500 Mds garantie crédit 1,25 Mds prêt				400 Ms	18	6
TOTAL	8,7	55	154	56	25	6,9	310	100

SOURCES
INSTITUTIONS
PERSONNES
DOMAINE PUBLIC
ÉCONOMIE
CONFLITS

Les Clubs de Paris et de Londres

L'endettement des PED n'est pas un phénomène nouveau. Les tentatives de résolution de cette dette existent, elles s'exercent le plus souvent au sein de cadres institutionnels.

Le Club de Paris

Les restructurations de la dette du tiers-monde sont préparées par le Club de Paris. Il s'agit d'un groupe de créanciers publics, notamment des États, se réunissant régulièrement dans la capitale française. L'objet de ces réunions est d'accorder un réaménagement du remboursement (on parle alors de « rééchelonnement ») de la dette aux PED acceptant d'appliquer un plan de redressement économique, souvent proposé par le FMI. De façon plus générale, chaque créancier accorde un allégement de la dette proportionnellement aux risques encourus (exemple : le Japon en septembre 1988, à Berlin-Ouest, au cours de l'Assemblée générale du FMI).

Le Club de Londres

Les opérations de restructuration de dettes à l'égard d'emprunteurs privés sont conduites dans le cadre du Club de Londres, instance informelle de discussions regroupant plusieurs centaines de banques privées (allemandes, japonaises, suisses, néerlandaises et françaises) créancières du tiers-monde. En l'occurrence, c'est l'examen au cas par cas des États débiteurs qui prédomine.

La politique du FMI

En collaboration étroite avec le Club de Paris, le FMI prête à un membre si celui-ci accepte de respecter certaines règles aptes à redresser son économie et à le mettre en mesure de rembouser ses dettes. Parmi les dispositions proposées par le FMI, on trouve le retour à la vérité des prix et des salaires (exemple : le Zaïre qui a dû dévaluer sa monnaie de 500 % en 1985), la suppression des subventions aux produits de consommation courants (comme en Tunisie ou en Égypte), l'augmentation de la pression fiscale et des tarifs des entreprises publiques (exemple : au Venezuela) et le contrôle du déficit budgétaire (exemple : en Bolivie).

Des réactions graves à cette politique

☐ Mais cette politique a provoqué dans les pays emprunteurs des troubles sociaux déstabilisants, comme des manifestations de rue, le pillage de magasins au Brésil, au Nigéria, en Égypte, en Tunisie ou en Algérie, la population de ces pays n'ayant pu supporter cette politique de rigueur.

☐ D'autres plans ont été avancés. Ainsi, le plan américain Brady en 1988 vise à réduire l'endettement des PED par le rachat des créances, ces dernières étant échangées — moyennant diminution de la créance — contre des titres émis.

Négociation d'une dette publique auprès du Club de Paris

La procédure se déroule en quatre étapes :
1. Demande officielle et écrite de l'État débiteur adressée au Club de Paris.
2. Le Club de Paris (Trésor public français, les États créanciers publics et le FMI, la BIRD et la CNUCED à titre d'observateurs) examine la dette publique (analyse des efforts et aptitudes de l'État débiteur à redresser l'économie).
3. La dette prend la forme d'un accord multilatéral conclu dans le cadre du Club de Paris. Dès 1956 (date de création du Club de Paris), l'Argentine fut le premier pays à bénéficier de cette procédure.
4. L'allégement de la dette ne devient effectif que lorsque des accords bilatéraux, négociés individuellement avec les pays créanciers concernés, définissent les dettes couvertes par le rééchelonnement et les intérêts des dettes : de 1956 à 1974 : 27 négociations concernant 10 États ; de 1975 à 1987 : 33 négociations concernant 12 États ; de 1988 à 1992 : 35 négociations concernant 13 États.

Grille d'analyse pour la prévision du risque « politique »

La plupart des grilles utilisées par les analystes comprennent les variables suivantes :
1. Variables ayant trait au caractère politique
Régime au pouvoir (démocratie, régime militaire, dictature, etc.) ; nombre de partis ; importance des violences politiques (attentats, manifestations) ; nombre de prisonniers politiques (par exemple, selon Amnesty International) ; nombre de coups d'État sur les vingt dernières années.
2. Variables relatives au contexte économique
Revenu par habitant ; dépenses d'éducation par habitant ; indice alimentaire ; dépenses de défense et budget de l'armée ; ratio FBC/PNB ; stabilité de la monnaie (convertibilité, nombre et pourcentage de dévaluations depuis dix ans) ; présence et rôle de syndicats dans la vie professionnelle ; stabilité des prix (évolution du taux d'inflation) ; fiscalité des affaires ; traitement des investissements étrangers (incitations à l'investissement, restrictions sur les bénéfices transférables…) ; historique des nationalisations (ou des privatisations).

Grille d'analyse pour la prévision du risque « bancaire »

Voici une liste de variables qui peuvent être retenues pour constituer une grille d'analyse, destinée à prévoir l'évolution du risque financier relatif à un pays débiteur :
1. Variables relatives à l'économie interne
PNB ; PNB par habitant ; croissance du PNB/habitant ; taux d'inflation ; croissance de la masse monétaire ; ratio investissement/revenu ; situation nette budgétaire ; ratio croissance du revenu/ FBCB.
2. Variables relatives à l'économie externe
Structure des exportations ; taux de croissance des exportations ; réserves internationales ; ratio réserves officielles/importations ; solde de la balance courante ; ratio du service de la dette ; emprunts auprès du FMI ; paiement du service de la dette ; montant de la dette externe.

SOURCES

INSTITUTIONS

PERSONNES

DOMAINE PUBLIC

ÉCONOMIE

CONFLITS

L'explosion des marchés financiers

Explosion ou implosion, les marchés financiers sous l'effet de la déréglementation voient leurs opérations chuter ou se contracter à une vitesse inouïe, presque auto-entretenue.

▬▬▬ Les causes de l'explosion

□ Plusieurs raisons expliquent l'explosion des marchés, elles tiennent toutes à la levée des barrières technico-juridiques et à la vitesse d'exécution des ordres passés. La déréglementation vertigineuse des marchés financiers se traduit par l'élimination des cloisons entre les différents marchés, la réunion du court et long terme, la multiplication des taux d'intérêt, d'instruments financiers, de parités monétaires.
□ La permanence du système de cotation a aggravé la situation. L'interconnexion des places financières (24 heures sur 24), quel que soit le fuseau horaire, permet de faire circuler les informations et ainsi démultiplier les ordres passés et les opérations financières (10 000 milliards de dollars par jour).

▬▬▬ Le rôle nouveau des entreprises

Les entreprises, principal acteur du marché, ont adopté depuis quelques années une attitude nouvelle. Elles considèrent la bourse plutôt comme un casino qu'un lieu de collecte de l'épargne utile à l'industrie (Toyota a réalisé, grâce à ses placements financiers, près de 30 % de son chiffre d'affaires). Cela crée alors un véritable divorce entre la spéculation boursière et l'économie réelle, marchande, les flux financiers n'ayant plus de commune mesure aves les biens produits.

▬▬▬ La tourmente internationale

□ Domaine d'activité qui n'est pas régi par le droit international, mais seulement par les législations nationales, la finance mondiale a néanmoins un urgent besoin d'établir un code de déontologie minimum et respecté. L'inquiétude est réelle. L'explosion des marchés financiers n'est pas un phénomène isolé ; elle se situe dans un contexte international économique préoccupant dont les éléments majeurs sont l'endettement international et les taux d'intérêt élevés.
□ Les *junk bonds,* obligations très spéculatives à haut risque et à haut rendement, ont fleuri au cours des années quatre-vingts et ont provoqué le naufrage de grandes maisons de courtage comme l'américain Drexel-Burnham-Lambert.

▬▬▬ La pratique boursière japonaise

Enfin, dans le pays de l'orthodoxie financière et principal bailleur de fonds au monde – le Japon –, éclatent en octobre 1991 des scandales financiers impliquant les plus prestigieuses maisons de titres. En effet, quatre maisons de titres (Nomura, Nikko, Yamaïchi et Daïwa) ont indemnisé leurs meilleurs clients (Nissan, Hitachi...) pour leurs pertes subies sur le marché financier. Cette pratique qui consiste à se prémunir contre les aléas du marché est pourtant interdite par la loi nippone.

UN EXEMPLE DE CRISE FINANCIÈRE : L'AFFAIRE DE LA BCCI

■ Chronologie d'une mauvaise réputation

Le scandale de la BCCI (Bank of Credit and Commerce International), une des plus grosses banques privées du monde avec 20 milliards de dollars d'actifs, est portée en juillet 1991 à la connaissance de l'opinion publique mondiale. Les pays de plusieurs continents (Asie, Afrique et Amériques) et de nombreuses personnalités des affaires et de la politique sont concernés.

1973. Création de la BCCI par M. Agha Hasan Abedi, un banquier pakistanais.

Début 1988. Un employé de la BCCI prévient la Banque d'Angleterre que son établissement finance des groupes terroristes. Le dossier est transmis aux services secrets britanniques.

Octobre 1988. La BCCI est accusée de blanchir l'argent de la cocaïne, de financer le général Noriega et le trafic d'armes avec l'Iran de M. Adnan Khashoggi. La BCCI plaidera coupable pour blanchiment en 1990.

Mai 1990. L'émirat d'Abu Dhabi prend 77 % de la BCCI. Price Waterhouse multiplie les rapports alarmants.

Octobre 1990. M. Swaleh Naqvi, directeur général, est « démissionné » sous la pression des autorités britanniques. Un plan de restructuration est à l'étude.

Janvier 1991. La Banque de France oblige la BCCI à réduire ses activités dans l'hexagone.

5 juillet 1991. La BCCI est fermée en Grande-Bretagne.

29 juillet 1991. La BCCI, M. Abedi et M. Naqvi sont inculpés de fraude par la justice américaine.

■ Les conséquences de l'affaire BCCI

Cette affaire est symbolique à plus d'un titre. Elle lèse d'abord des dizaines de milliers de particuliers qui ne récupèreront jamais leur argent déposé. Elle jette, en outre, le discrédit sur le monde obscur de la finance, considéré comme une société « à part » avec ses règles parfois contestables, sinon douteuses (on a évoqué à cet égard l'expression humoristique de « Bank of Crooks [escrocs] and Criminals International »). Mais, elle a surtout impliqué de façon indirecte des hommes d'État, parmi les plus puissants (John Major en Grande-Bretagne ou, aux États-Unis, les présidents Carter et Bush), dont l'entourage a été mis en cause.

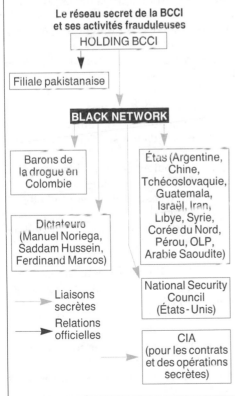

Le réseau secret de la BCCI et ses activités frauduleuses

HOLDING BCCI

Filiale pakistanaise

BLACK NETWORK

Barons de la drogue en Colombie

Dictateurs (Manuel Noriega, Saddam Hussein, Ferdinand Marcos)

Étas (Argentine, Chine, Tchécoslovaquie, Guatemala, Israël, Iran, Libye, Syrie, Corée du Nord, Pérou, OLP, Arabie Saoudite)

National Security Council (États-Unis)

CIA (pour les contrats et des opérations secrètes)

→ Liaisons secrètes

→ Relations officielles

SOURCES
INSTITUTIONS
PERSONNES
DOMAINE PUBLIC
ÉCONOMIE
CONFLITS

L'arme des taux d'intérêt

Le taux d'intérêt représente le loyer de l'argent. Les Banques centrales jouent un rôle déterminant dans la formation des taux d'intérêt. Or la guerre des taux d'intérêt entre les États développés est déclarée. Ce levier que représente le taux d'"intérêt apparaît comme un instrument clé de la compétitivité d'une économie.

▬▬▬ Les taux d'intérêt : une variable stratégique pour les États

☐ Il faut distinguer deux sortes de taux d'intérêt : le taux d'intérêt nominal qui est le loyer de l'argent sur le marché financier et le taux d'intérêt réel qui représente ce même loyer de l'argent, inflation déduite.

☐ Pour l'État, le taux d'intérêt exerce une influence sur la dette publique : les capitaux étrangers sont attirés par un taux d'intérêt élevé. En outre, la restriction de la croissance de la masse monétaire dépend d'une hausse des taux, alors qu'une politique de relance passe par une baisse.

☐ Afin d'avoir une monnaie forte, l'État doit élaborer une politique qui consiste à défendre la parité de la monnaie sur le marché des changes en la rémunérant correctement grâce à des taux d'intérêt attractifs, tout en réduisant la hausse des prix (inflation) ainsi que le niveau d'endettement.

☐ L'enjeu est immense : des taux d'intérêt élevés consolident une monnaie, mais influent également sur l'investissement (des taux d'intérêt élevés peuvent décourager l'emprunt et rendre les placements financiers plus avantageux que l'investissement productif) et donc, en dernière analyse, sur la croissance économique.

▬▬▬ La « guerre des taux d'intérêt » : Allemagne-France

☐ L'Allemagne, pour contenir l'inflation liée à l'unification, raffermir le deutschmark et attirer les capitaux outre-Rhin, peut décider de relever ses deux taux directeurs (taux lombard et taux d'escompte) :

– un taux directeur est l'intérêt auquel les banques paient les liquidités qu'elles empruntent à la Banque centrale, à qui elles remettent en garantie des titres divers ;

– le taux lombard est un taux d'intérêt que les banques paient quand elles ont besoin de crédits urgents ; elles déposent alors des valeurs mobilières ;

– le taux d'escompte est le taux d'intérêt que les banques versent pour que la Bundesbank, la Banque centrale allemande, leur achète des effets commerciaux obtenus auprès de leurs clients.

☐ Mais cette politique de relèvement des taux a une incidence directe sur les États situés dans la mouvance du mark allemand. Cette zone englobe les pays (exemples : la Belgique, les Pays-Bas, le Danemark, la Suisse et l'Autriche) dont la politique monétaire est dépendante des décisions de la Banque centrale allemande, la « Buba ».

☐ Dans ce contexte de renchérissement de l'argent, la France se voit contrainte de maintenir ses taux d'intérêt à un niveau compétitif, bien qu'une telle décision se fasse au détriment de la relance des investissements des entreprises françaises obligées de payer un taux d'intérêt élevé.

COMMENT LES TAUX D'INTÉRÊT SE RÉPERCUTENT SUR L'ÉCONOMIE

LE TAUX D'APPEL D'OFFRES

La Banque de France fixe un taux d'intérêt, dit "taux d'appel d'offres"

Évolution du taux d'appel d'offres de la banque en France

8,25%

7,25%
14 juin

Après être restés à des niveaux très élevés depuis 1990, les taux d'intérêt de la Banque de France ont amorcé une spectaculaire décrue depuis le début du mois d'avril 1993.

LE TAUX DE BASE BANCAIRE

La Banque de France prête suivant ce taux aux banques commerciales, qui, à leur tour, déterminent un taux de base bancaire (TBB)

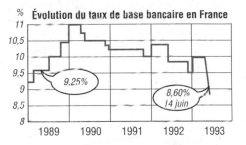

Évolution du taux de base bancaire en France

9,25%

8,60%
14 juin

Le TBB sert de référence pour 10% des crédits accordés à l'économie. Pour que les banques possèdent une marge, le TBB est supérieur au taux de la Banque de France.

LES CRÉDITS
Les banques commerciales prêtent aux agents économiques : entreprises et ménages

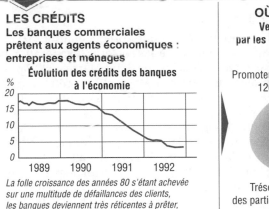

Évolution des crédits des banques à l'économie

La folle croissance des années 80 s'étant achevée sur une multitude de défaillances des clients, les banques deviennent très réticentes à prêter, malgré la baisse des taux.

OÙ VONT LES CRÉDITS ?
Ventilation des crédits accordés par les banques françaises en février 1993 (en milliards de F)

Autres crédits
308,4

Promoteurs
126,2

Trésoreries
des entreprises
961,1

Habitat
996,6

28,9

Investissements
950,6

267,4

Trésoreries
des particuliers

Exportations

Total : 3645,6 milliards de francs

d'après Libération

125

SOURCES

INSTITUTIONS

PERSONNES

DOMAINE PUBLIC

ÉCONOMIE

CONFLITS

Les paradis fiscaux

Un paradis fiscal est un État pratiquant une politique fiscale très favorable. Le but est de développer sur son territoire l'implantation et les investissements du plus grand nombre d'entreprises industrielles et commerciales. Ce dispositif fiscal prête parfois le flan à des pratiques douteuses.

▬▬▬ Origine

Apparus avant l'impôt, dès le XVIᵉ siècle dans les Flandres, les paradis fiscaux — ou « pays à régime fiscal privilégié », selon l'expression retenue par l'administration fiscale française dans une note du 9 octobre 1975 — se développent notamment grâce à la présence de banques étrangères et à l'internationalisation des firmes.

▬▬▬ Caractéristiques

Le statut d'un paradis fiscal change rapidement en fonction d'événements politiques (exemple : le Liban), de modifications législatives et des traités en vigueur (exemple : Hong-Kong en 1997, lors de son retour à la Chine). Cependant, certaines constantes se retrouvent dans la plupart des paradis fiscaux :
– les taux d'imposition sont réduits ou nuls (exemple : les Bermudes…) ;
– les secrets commercial et bancaire sont protégés par des lois (exemples : la Suisse ou la loi de 1965 aux Bahamas) ;
– l'existence d'une stabilité politique et économique du paradis fiscal (exemples : le Luxembourg, Monaco, le Liechtenstein, Andorre…) ;
– la présence d'une infrastructure moderne offrant des moyens de communication rapides (telex, charters) et permettant des contacts immédiats, nécessaires aux transactions financières ;
– enfin, une politique agressive de promotion s'impose ; ainsi le mensuel *The Economist* d'octobre 1988 vantait les mérites d'une vingtaine de paradis fiscaux.

▬▬▬ Le choix d'un paradis fiscal

☐ Avoir recours à un paradis fiscal répond à plusieurs préoccupations. Il s'agit d'abord de bénéficier de l'exonération de l'impôt sur les sociétés (exonération pendant 10 ans pour certains investissements dans l'île de Saint-Martin aux Caraïbes par exemple) : c'est la stratégie fiscale internationale. Mais cela peut être la volonté illicite d'un contribuable ou d'une entreprise d'échapper à ses obligations légales en matière fiscale : c'est la notion d'évasion fiscale.
☐ Une des utilisations illégales les plus communes des paradis fiscaux est le recyclage des fonds provenant d'opérations criminelles et plus particulièrement du trafic de la drogue. Cette opération de « blanchiment » de l'argent sale est le procédé par lequel l'existence, l'origine ou l'utilisation illégale d'un revenu peuvent être dissimulées et transformées en revenu légal issu de ce trafic grâce au silence ou au laxisme de législations nationales (exemple : l'affaire de la BCCI, en août 1991).
☐ Le droit international est impuissant à réprimer les narco-trafiquants et à réglementer les havres fiscaux opaques disséminés aux quatre coins de la planète.

DE LA FISCALITÉ À LA COMPLAISANCE

■ **Liste des paradis fiscaux selon la note du 9 octobre 1975 de l'administration fiscale**

Les pays où il n'existe pas d'impôt sur les revenus	Andorre, Bahreïn, îles Cayman, Campione, Bahamas, Bermudes, Nouvelle-Calédonie, Nouvelles Hébrides (aujourd'hui Vanuatu), Monaco, Nauru, Turks et Caicos, Polynésie française.
Les pays dans lesquels les revenus de source étrangère ne sont pas soumis à un impôt sur les bénéfices et les revenus	Costa Rica, Liban, Libéria, Panama, IFAI (aujourd'hui République de Djibouti), Uruguay, Venezuela.
Les États étrangers et les territoires où les impôts sont notablement moins élevés qu'en France	Angola, Antigua, Antilles néerlandaises, Barbade, Gibraltar, Grenade, îles anglo-normandes (Jersey-Guernesey), île de Man, Gilbert et Ellice, Hong-Kong, îles Salomon, îles Vierges britanniques, Jamaïque, Liechtenstein, Luxembourg, Montserrat, Sainte-Hélène, Saint-Vincent, Suisse, Archipel de Tonga.

■ **Une spécificité contestable : les pavillons de complaisance**

Cette technique, très utilisée par certains États comme le Libéria et le Panama qui s'en sont fait une spécialité, consiste à attribuer une nationalité fictive à des navires de commerce à des conditions fiscales et sociales (faiblesse des droits des marins, embauche et compétences incertaines) avantageuses. Le but est de permettre à certains États de posséder des flottes marchandes très importantes.

■ **Choix d'un paradis fiscal par type d'utilisateurs**

Utilisateurs	Paradis fiscaux les plus favorables
Personnes physiques	Andorre, Bahamas, Bermudes, Campione d'Italia, îles Cayman, Irlande, Monaco, Polynésie française
Sociétés commerciales	Bahamas, Bahreïn, Bermudes, îles Cayman, Chypre, Hong-kong, Jersey, Guernesey, Libéria, Liechtenstein, Luxembourg, île de Man, Vanuatu
Holding	Bahamas, Bermudes, îles Cayman, îles Vierges britanniques, Jersey, Liechtenstein, luxembourg, Nauru, Pays-Bas
Sociétés d'assurances captives	Bahamas, Bermudes, îles Cayman, Guernesey, Luxembourg, îles de Man, Vanuatu
Sociétés maritimes	Panama, Libéria, Antilles néerlandaises, Jersey, Guernesey
Trusts	Bermudes, Bahamas, îles Cayman, Liechtenstein

SOURCES
INSTITUTIONS
PERSONNES
DOMAINE PUBLIC
ÉCONOMIE
CONFLITS

Le droit international de l'environnement

Le « Sommet de la Terre » de Rio de Janeiro (3-14 juin 1992), placé sous l'égide de l'ONU, a démontré la nécessité d'un dialogue international afin de protéger l'environnement de la planète.

■■■■■ L'environnement, un tournant dans les relations internationales

Point d'ancrage du dialogue Nord-Sud, le thème de l'environnement alerte depuis quelques années l'opinion internationale. Ainsi, la « Journée de la Terre » du 22 avril 1990 a mis en relief les dangers qui menacent la planète bleue : les différentes pollutions (de l'eau, de l'air), la destruction de la couche d'ozone, l'effet de serre, les accidents nucléaires, la fonte du continent antarctique ou encore les pluies acides. La crise écologique est vive : l'Homme sans y prendre garde devient l'ennemi de la nature par son action de surexploitation des richesses de la Terre.

■■■■■ Les menaces à l'environnement

□ Les catastrophes écologiques d'origine chimique ou nucléaire (exemples : Bhopal en Inde en 1984, Tchernobyl en Ukraine le 26 avril 1986) ou les pollutions maritimes si nombreuses depuis 1967 (accident du pétrolier libérien *Torrey-Canyon*) ont fait prendre conscience de l'urgence qu'il y a d'élaborer un véritable droit international respecté par tous les États.

□ Le droit international de l'environnement présente plusieurs originalités. Il est ancien, mais s'est développé depuis 1970. Il est abondant ; des textes internationaux couvrent les différentes spécificités de l'environnement. Il présente parfois un caractère transnational, voire supra-national, c'est-à-dire s'imposant aux nations, les problèmes d'environnement ne s'arrêtant pas aux frontières nationales.

■■■■■ Les engagements internationaux de l'environnement

□ Très nombreux, les engagements internationaux reposent sur le principe du « chacun pour tous ». Parmi les textes les plus remarquables, il faut relever :
– la fameuse déclaration de Stockholm sur l'environnement du 16 juin 1972 (première conférence des Nations unies sur le sujet) ;
– la convention de l'UNESCO sur la protection du patrimoine mondial, culturel et naturel du 16 novembre 1972 ;
– la Charte mondiale de la nature du 28 octobre 1982 adoptée par l'Assemblée générale de l'ONU ;
– le protocole de Montréal de 1989 pour la protection de la couche d'ozone.

□ Dans le même esprit, s'est tenue à Paris en décembre 1991 la première conférence internationale de 850 délégués venus de 100 pays représentant les ONG chargées de l'environnement. Enfin, le sommet de Rio a abouti à la signature d'une part d'une charte engageant les États à prendre des mesures en faveur de l'environnement et, d'autre part, de l'élaboration d'un « agenda » destiné à recenser les mesures à prendre pour assurer le développement durable.

CE QUI A ÉTÉ SIGNÉ DURANT LE SOMMET DE RIO

	Le contenu	Signataires	Les limites
Convention sur les changements climatiques	Elle entend limiter les émissions de gaz à effet de serre.	Signée par 154 États	• Accord-cadre, elle ne fixe ni objectif précis, ni échéancier contraignant, au bénéfice des États-Unis et des pays de l'OPEP. • Jugée insuffisante par les Européens, qui auraient souhaité que la production de gaz à effet de serrre soit au même niveau en l'an 2000 qu'en 1990.
Convention sur la biodiversité	Elle établit le principe que les pays abritant les espèces protégées doivent être aidés à les préserver, par le biais de crédits et de transferts de technologies.	154 États sauf les États-Unis	• Rejetée par les États-Unis qui considèrent que la protection des brevets des produits bio-technologiques est insuffisante. • Signée par les Européens qui la jugent pourtant sans portée, puisqu'elle ne prescrit aucune mesure concrète.
Déclaration sur la forêt	Déclaration d'intention sur la nécessité de préserver les forêts tropicales et boréales, conçues comme des ressources naturelles sous la souveraineté des États.	En cours de signature	C'est un compromis entre d'un côté les États-Unis et les Européens désireux d'aboutir à une convention et de l'autre, les pays « forestiers » du Sud qui considèrent la protection internationale de leur forêt comme une atteinte à leur souveraineté.
Agenda 21	• Catalogue de centaines de mesures, en 40 chapitres et 800 pages, qui devraient être prises d'ici à l'an 2000 pour garantir le « développement durable » allant de la lutte contre la pollution des océans à l'éducation des femmes. • Il contient aussi un projet de convention sur la désertification.	Tous	• Il s'agit de recommandations et non d'engagements. • Les débats les plus âpres ont tourné autour du chapitre du financement, estimé à 625 milliards de dollars par an, dont 125 devraient etre fournis par les pays industrialisés. Pour la plupart, ils ont refusé de s'engager à porter à 0,7 % de leur PNB le montant de leur aide au développement. Ils se sont contentés de promettre d'« augmenter leurs programmes d'aide pour atteindre cet objectif le plus tôt possible ». De leur côté, les pays du Sud ont refusé que aides nouvelles soient conditionnées à l'adoption de mesures concrètes de protection de l'environnement.
Commission pour le développement durable	Elle aura pour tâche de vérifier les progrès de l'Agenda 21 et de faire un état des lieux de la planète sous l'autorité des États.	Tous	• Pas d'autorité décisionnaire. • Ne sera officiellement créée qu'à l'automne par l'Assemblée générale des Nations unies et dépendra de sa Commission économique et sociale. Scientifiques et ONG doivent y participer. Ni sa composition, ni les moyens dont elle sera dotée ne sont connus.

SOURCES

INSTITUTIONS

PERSONNES

DOMAINE PUBLIC

ÉCONOMIE

CONFLITS

Les conflits internationaux

Depuis 1945, le monde est secoué de conflits inter-étatiques majeurs, résolus ou pas. Le droit international n'est pas encore parvenu à imposer des règles juridiques contraignantes et à faire taire les armes. Plusieurs causes répondent à ces conflits dont les origines sont distinctes.

■■■■ La notion de conflit international

Un conflit, un litige ou un différend international est, selon la CPJI dans l'affaire du Lotus de 1927, un désaccord constaté sur un point de droit ou de fait, une opposition formelle de thèses juridiques ou d'intérêts entre États. En pratique, les conflits dépassent souvent le simple cadre juridique — application ou interprétation d'un point de droit — pour déborder sur le terrain politique.

■■■■ La complexité des relations internationales

Les relations internationales entre États sont actuellement très complexes et se caractérisent par plusieurs traits généraux parmi lesquels :
– le maintien de conflits durs (exemple : le conflit israélo-arabe) ;
– la guerre économique et commerciale entre États et pôles d'États (exemple : opposition CEE-États-Unis au GATT) ;
– la faiblesse du dialogue Nord-Sud et un fossé économique croissant entre pays pauvres et États nantis ;
– le problème du surendettement du tiers-monde ;
– l'interdépendance des États dans le domaine scientifique (l'espace) ;
– le débat idéologique entre systèmes politiques différents ;
– la montée du nationalisme et de l'intégrisme (exemple : en Iran) ;
– l'élaboration de normes juridiques au sein d'instances internationales.

■■■■ Causes générales et typologie des conflits

□ Globalement, les conflits actuels sont le plus souvent de nature internationale. Ils reposent sur les causes suivantes : des conflits ethniques, tribaux ou religieux (exemples : Ulster, Yougoslavie), des conflits territoriaux (exemples : Inde-Pakistan, Sahara occidental), des rivalités ancestrales (exemple : Israël-États arabes) et des interventions idéologiques (exemple : Saint-Domingue en 1965, intervention américaine). À ce schéma s'ajoutent de façon plus ponctuelle : des convoitises territoriales et économiques (Iran-Irak), des visées expansionnistes (exemples : Libye-Tchad, Syrie-Liban) et des problèmes de minorités (en Indonésie).
□ Il est malaisé d'établir une classification des conflits tant est diverse la réalité vécue sur les lieux de bataille : conflits majeurs ou secondaires, interventions ponctuelles, conflits latents… Il apparaît que quelque quarante conflits en cours, s'étendant de simples troubles aux affrontements majeurs, peuvent être actuellement regroupés en quatre points : les guerres officielles (les Nations alliées contre l'Irak en 1991), les guerres de libération (en Ulster), les guerillas et actions terroristes (le Pérou face au Sentier lumineux) et les guerres civiles (en Yougoslavie).

L'ONU ET LA GUERRE DU GOLFE

■ Le contexte

Dans un mémorandum adressé à la Ligue arabe le 18 juillet 1990, les autorités irakiennes accusent le Koweït d'exploiter des nappes pétrolières irakiennes et de s'attribuer des territoires irakiens. Tandis que le président égyptien Hosni Moubarak tente d'exercer une médiation, Bagdad concentre des troupes à la frontière koweïtienne. Le 2 août 1990, l'armée irakienne envahit le Koweït et en fait sa 19e province ou gouvernorat. Les avoirs irakiens et koweïtiens sont alors gelés dans les pays occidentaux.

■ Les différentes résolutions de l'ONU ayant conduit à la guerre

Résolutions du Conseil de sécurité	Contenu de ces résolutions
Résolution n° 660	Retrait immédiat et inconditionnel de toutes les forces irakiennes du Koweït
Résolution n° 661	Boycottage commercial, financier et militaire de l'Irak Jusqu'au retrait de ses troupes du Koweït
Résolution n° 665	Autorisation du recours à la force pour faire respecter l'embargo
Résolution n° 678	Autorisation de recourir à tous les moyens nécessaires, y compris la force armée
17 janvier 1991, déclenchement de l'opération « Tempête du désert » 28 février 1991, suspension des hostilités	Les forces aériennes alliées bombardent des objectifs en Irak et au Koweït La mission irakienne à l'ONU précise que Bagdad accepte sans conditions les 12 résolutions des Nations unies

■ Les suites des résolutions

Le 2 avril 1991, la France saisit le Conseil de sécurité des Nations unies et invoque un « devoir d'ingérence humanitaire » à propos des réfugiés kurdes, situés dans le nord de l'Irak, et persécutés par les troupes de Saddam Hussein, le président irakien.

Après avoir fixé les conditions d'un cessez-le-feu dans le golfe, le Conseil de sécurité demande à Bagdad, dans sa résolution n° 668, de faciliter un accès immédiat aux organisations humanitaires internationales.

Le 20 mai est votée (résolution n° 692) la création d'un fonds alimenté par les revenus pétroliers de l'Irak, destiné à réparer les dommages de guerre.

■ Le présent et l'avenir

La région du golfe est militairement la plus surveillée du monde. De mai 1991 à nos jours, des avions américains abattent régulièrement des avions irakiens qui ne respectent pas le cessez-le-feu général entré en vigueur le 11 avril 1991. Par ailleurs, l'Irak est frappé d'un embargo total sur toutes les ventes d'armes et les autorités irakiennes doivent prendre à leur charge la totalité des dépenses liées à l'élimination de leurs armes de destruction massive (chimiques et nucléaires). L'économie du Koweït est progressivement reconstruite grâce aux entreprises occidentales.

SOURCES

INSTITUTIONS

PERSONNES

DOMAINE PUBLIC

ÉCONOMIE

CONFLITS

Les conflits régionaux

Alors qu'en 1945 les relations internationales s'inscrivaient dans un cadre bipolaire dominé par les Super-Grands (États-Unis et URSS), la représentation actuelle du monde est éclatée. Les centres de décision se multiplient, l'univers est multipolaire comprenant des sous-ensembles où les tensions sont vives.

■■■■■ L'éclatement des zones d'affrontements : la régionalisation des conflits

□ La succession des conflits dans le temps et en certains points du globe déstabilisent l'équilibre précaire des relations internationales. Les fronts dits secondaires se retrouvent sur tous les continents, y compris en Occident (mouvements indépendantistes en Espagne, en France ou en Irlande du Nord). Les lignes de fracture traditionnelles du monde Est-Ouest ou Nord-Sud ne parviennent plus à expliquer les antagonismes régionaux et les réflexes nationalistes.

□ Les foyers de tension régionale et donc de déstabilisation d'une région, voire d'un continent, sont le résultat d'un jeu complexe de forces politiques, économiques et culturelles qui s'opposent. Ces forces contraires sont parfois larvées (exemple : problèmes de frontières sino-vietnamiennes), prennent également la forme de guerres ouvertes (exemple : en Amérique centrale) ou encore s'expriment par le biais d'interventions extérieures pour des raisons de géostratégie (exemple : au Salvador).

■■■■■ Un continent oublié : l'Afrique

À cet égard, le continent africain est celui qui est le plus marqué par des aspects de géostratégie des grandes puissances ou des puissances moyennes auxquels viennent s'ajouter des problèmes de sous-développement, le poids des structures tribales et des haines ancestrales entre États ou à l'intérieur des États : le Mali contre le Burkina Faso en décembre 1985 ou la terrible guerre du Biafra au Nigéria opposant de 1966 à 1970 les Ibos, chrétiens, aux Haoussas et Peuls, musulmans.

■■■■■ Des antagonismes régionaux très prononcés

□ Les conflits localisés proviennent d'enjeux très disparates. Ils reposent ainsi sur les motifs aussi variés que la lutte pour le pouvoir politique (exemple : au Libéria), l'élimination d'une tribu rivale (exemple : au Sri Lanka), la rectification d'une frontière (exemples : Iran-Irak, Thaïlande-Cambodge), la revendication territoriale (exemple : l'Antarctique). La convoitise de matières premières (exemple : le conflit du Sahara occidental) et la revendication d'un État libre et indépendant (exemple : le problème kurde) sont souvent à l'origine de conflits localisés très durs.

□ Depuis l'éclatement de l'empire soviétique, les théâtres d'affrontements se diversifient comme si chaque État cherchait à tirer parti de cette situation. L'ONU, le recours à l'arbitrage international ou à la médiation, notamment en matière de conflits frontaliers, le dialogue Sud-Sud entre pays pauvres, les alliances économiques et les regroupements culturels permettent de régler certains différends régionaux.

LES INTERVENTIONS AMÉRICAINES
DANS LE MONDE

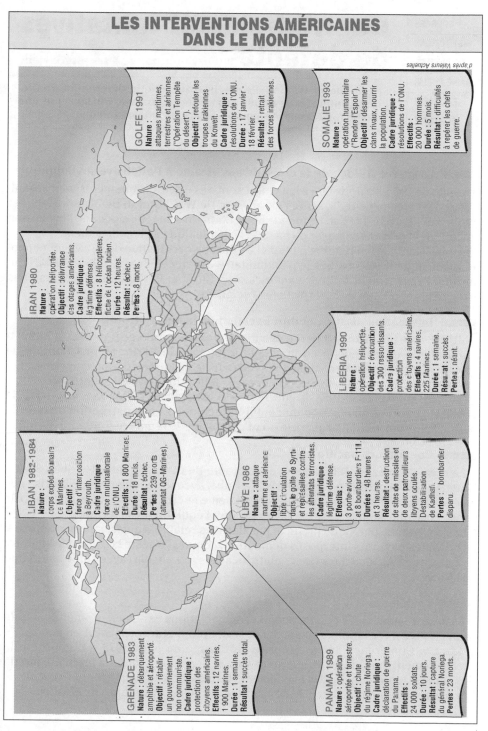

d'après *Valeurs Actuelles*

GOLFE 1991
Nature :
attaques maritimes,
terrestres et aériennes
("Opération Tempête
du désert").
Objectif : refouler les
troupes irakiennes
du Koweit.
Cadre juridique :
résolutions de l'ONU.
Durée : 17 janvier -
18 février.
Résultat : retrait
des forces irakiennes.

SOMALIE 1993
Nature :
opération humanitaire
("Rendre l'Espoir").
Objectif : désarmer les
clans rivaux, nourrir
la population.
Cadre juridique :
résolutions de l'ONU.
Effectifs :
20 000 hommes.
Durée : 5 mois.
Résultat : difficultés
à repérer les chefs
de guerre.

IRAN 1980
Nature :
opération héliportée.
Objectif : délivrance
des otages américains.
Cadre juridique :
légitime défense.
Effectifs : 8 hélicoptères,
flotte de l'océan Indien.
Durée : 12 heures.
Résultat : échec.
Pertes : 8 morts.

LIBÉRIA 1990
Nature :
opération héliportée.
Objectif : évacuation
des 300 ressortissants.
Cadre juridique :
protection
des citoyens américains.
Effectifs : 4 navires,
225 Marines.
Durée : 1 semaine.
Résultat : succès.
Pertes : néant.

LIBAN 1982-1984
Nature :
corps expéditionnaire
de Marines.
Objectif :
force d'interposition
à Beyrouth.
Cadre juridique :
force multinationale
de l'ONU.
Effectifs : 1 800 Marines.
Durée : 18 mois.
Résultat : échec.
Pertes : 239 morts
(attentat QG-Marines).

LIBYE 1986
Nature : attaque
maritime et aérienne.
Objectif :
libre circulation
dans le golfe de Syrte
et représailles contre
les attentats terroristes.
Cadre juridique :
légitime défense.
Effectifs :
3 porte-avions
et 8 bombardiers F-111.
Durées : 48 heures
et 3 heures.
Résultat : destruction
de sites de missiles et
de deux patrouilleurs
libyens coulés.
Pertes : - bombardier
disparu.
Déstabilisation
de Kadhafi.

GRENADE 1983
Nature : débarquement
amphibie et aéroporté
Objectif : rétablir
un gouvernement
non communiste.
Cadre juridique :
protection des
citoyens américains.
Effectifs : 12 navires,
1 900 Marines.
Durée : 1 semaine.
Résultat : succès total.

PANAMA 1989
Nature : opération
aéroportée et terrestre.
Objectif : chute
du régime Noriega.
Cadre juridique :
déclaration de guerre
du Panama.
Effectifs :
24 000 soldats.
Durée : 10 jours.
Résultat : capture
du général Noriega
Pertes : 23 morts.

SOURCES

INSTITUTIONS

PERSONNES

DOMAINE PUBLIC

ÉCONOMIE

CONFLITS

Guerre froide et tentatives de détente

À la guerre froide (« le glacis ») succède la détente internationale entamée au début des années soixante, qui marque une étape fondamentale dans les relations internationales.

██████ La guerre froide : de la croisade américaine à l'offensive soviétique

☐ À la fin de 1947, les deux blocs Est-Ouest sont nés et les affrontements vont se multiplier. Le « rideau de fer », selon l'expression de W. Churchill du 5 mars 1946, est tombé sur l'Europe de l'Est. Le monde libre, États-Unis en tête, a peur de l'expansion soviétique et pratique, à partir de mars 1947, la politique de l'endiguement.

☐ Le plan Marshall, en juin 1947, permet à l'Europe occidentale de se relever économiquement de la guerre. Sur le plan militaire est créée, en avril 1949, l'OTAN qui marque l'engagement militaire américain en Europe. Par ailleurs, la course aux armements et bientôt au surarmement est lancée.

██████ Internationalisation et durcissement de la guerre froide

☐ L'URSS crée une bizone à Berlin en violation des accords de Potsdam (17 juillet-2 août 1945) et déclenche en juin 1948 le blocus de Berlin auquel l'Amérique répond par un pont aérien. Moscou étend dans le même temps son emprise à l'Est et y instaure des démocraties populaires (« satellisation ») qu'elle contrôle.

☐ Dans les années 1950-1954, la guerre froide se déplace en Asie avec la guerre de Corée et l'internationalisation du conflit indochinois. La construction du mur de Berlin, le 13 août 1961, marquera le point culminant de la guerre froide.

██████ Coexistence pacifique

☐ La crise de Suez en 1956 annonce la volonté de dialogue entre les deux Super-Grands et plus encore en octobre 1962, à Cuba, avec le dénouement de la crise des fusées qui a failli coûter au monde sa troisième guerre. Les deux Grands ont pris conscience que l'apocalypse nucléaire produit l'équilibre de la terreur.

☐ La coexistence pacifique prend le pas dans les relations américano-soviétiques. Les rivalités par États interposés demeurent, comme l'atteste la présence militaire de Cubains en Afrique dans des conflits localisés (en Angola) avec l'aide technique de l'URSS.

██████ La détente

☐ La détente peut alors commencer. Les négociations Est-Ouest s'amplifient, plusieurs traités internationaux sont signés (exemple : les accords SALT en mai 1972).

☐ C'est la Conférence sur la Sécurité en Europe en août 1975 qui consacre le réchauffement durable du dialogue Est-Ouest. Néanmoins, dans la première moitié des années quatre-vingts, des événements ternissent le dialogue renoué (entrée de l'Armée rouge en Afghanistan, le boycottage des Jeux Olympiques de Moscou…).

LA RÉUNIFICATION DE L'ALLEMAGNE

4-11 février 1945 : La conférence de Yalta qui réunit Churchill, Roosevelt, Staline décide l'occupation de l'Allemagne.

5 juin 1947 : Annonce du plan Marshall (programme américain de reconstruction économique de l'Europe).

21 janvier 1949 : À Moscou, l'URSS, la Bulgarie, la Hongrie, la Pologne, la Roumanie et la Tchécoslovaquie créent le Conseil d'assistance économique mutuelle (COMECOM).

6 juin 1950 : Traité de Zgorzelec (Görlitz) : Berlin-Est et Varsovie déclarent que la ligne Oder-Neisse « *constitue la frontière entre l'Allemagne et la Pologne* ».

9 juin 1950 : La RFA ne reconnaît pas l'accord.

26 mai 1952 : Adenauer (RFA), Schuman (France), Eden (Grande-Bretagne) et Acheson (États-Unis) signent, à Bonn, les accords germano-alliés qui abrogent le statut d'occupation et règlent les rapports de la RFA avec les alliés occidentaux. La RFA dispose désormais de la souveraineté. Le même jour, la RDA renforce les mesures de sécurité sur la ligne de démarcation.

5 mars 1953 : Mort de Staline.

Septembre 1955 : Le gouvernement fédéral se rallie à la « doctrine Hallstein » selon laquelle la reconnaissance de la RDA par tout État autre que l'URSS entraînera la rupture des relations diplomatiques de la RFA avec cet État.

27 janvier 1956 : Entrée de la RDA dans le pacte de Varsovie.

13 août 1961 : Pour enrayer l'exode des citoyens de RDA, les autorités est-allemandes entreprennent la construction du mur de Berlin. Le mur sera totalement hermétique jusqu'en décembre 1963, quand les autorités de l'Est permettront pour la première fois, pendant la période des fêtes de fin d'année, aux Berlinois de l'Ouest de rendre visite à leur famille à Berlin-Est.

Juillet-septembre 1969 : Le gouvernement fédéral renonce à la doctrine Hallstein et négocie avec la RDA sur les questions de circulation (début de l'ostpolitik).

26 mai 1972 : Signature à Berlin-Est du traité « sur la circulation » entre la RDA et la RFA, premier traité conclu entre les deux États allemands.

21 décembre 1972 : Signature à Berlin-Est du « traité fondamental » entre les deux États allemands. C'est le point de départ d'une normalisation des relations diplomatiques bilatérales.

9 novembre 1989 : Des berlinois s'emparent du « mur de la honte » et entreprennent sa démolition.

10 novembre 1989 : Les autorités de RDA décident l'ouverture de la frontière : les Allemands peuvent se déplacer librement de l'Est à l'Ouest. Nuit d'allégresse à Berlin. Des centaines de milliers de Berlinois de l'Est franchissent le mur.

3 octobre 1990 : Les Allemands fêtent la réunification de leur nation en deux États indépendants depuis la fin de la Seconde Guerre mondiale.

31 janvier 1992 : La fin de la guerre froide est officiellement scellée à l'ONU lors de la réunion solennelle des quinze chefs d'États membres du Conseil de sécurité.

SOURCES

INSTITUTIONS

PERSONNES

DOMAINE PUBLIC

ÉCONOMIE

CONFLITS

Le contrôle des armements nucléaires

Après la course aux armements, l'ère de la paix a remplacé la logique du bouclier et de l'épée. Le désarmement est en passe d'être un droit négocié dans les relations internationales.

■■■■ La rivalité Est-Ouest

Marque permanente des relations entre États, la militarisation dès le début du XXe siècle affecte tous les espaces. Cette « course folle » est liée aux progrès scientifiques et techniques. Produit de la guerre froide et d'une rivalité exacerbée entre les blocs de l'Ouest et de l'Est, elle est lancée après 1945. Les deux Super-Grands — États-Unis et URSS — cherchent à occuper le premier rang et à impressionner l'ennemi.

■■■■ La course effrénée aux armements nucléaires

□ La course est d'abord qualitative. La modernisation du matériel de guerre est continue : fabrication de la bombe A et de la bombe H (1945-1952), puis fabrication de missiles à portée intercontinentale (1957-1958), fabrication de sous-marins nucléaires lanceurs d'engins (1960), miniaturisation et précision des missiles et des ogives (1970-1972) et, enfin, apparition des armes spatiales (programme du président Reagan d'Initiative de défense stratégique dit « guerre des étoiles » en 1983).

□ Cette course est très coûteuse puisque les dépenses militaires dépassent actuellement la dette du tiers-monde (près 1 500 milliards de dollars US).

□ Enfin, elle est très destructrice. Les armes stratégiques ou intercontinentales (c'est-à-dire à longue portée, 5 500 km) et tactiques (à courte portée, moins de 1 000 km) peuvent détruire plusieurs dizaines de fois la planète et anéantir en conséquence le genre humain.

■■■■ La paix par le désarmement : *l'arms control*

□ Ayant pris conscience qu'ils étaient parvenus à la parité nucléaire (« l'équilibre ») et assurés que le club des États possédant l'arme suprême était restreint (traité de Moscou du 5 août 1963), les deux Super-Grands ont limité dans les années soixante-dix leur arsenal nucléaire puis ont décidé de le réduire. La doctrine de la dissuasion (assez d'armes pour inquiéter l'adversaire, mais pas au point de le déstabiliser) peut dès lors s'exercer. Les accords SALT de 1972 et SALT II de 1979 limitent les armements militaires stratégiques soviéto-américains. En 1982, les négociations START sont entamées entre Moscou et Washington.

□ Puis, à partir de 1991, Washington et Moscou prennent tour à tour des engagements de réduction unilatérale des armements nucléaires.

□ De son côté, dès 1959, l'ONU considère que le problème du désarmement est « la question la plus importante à laquelle le monde ait à faire face » (résolution 1318 de l'Assemblée générale). De même, en 1970, et depuis cette date, régulièrement depuis tous les dix ans, l'ONU proclame la décennie du désarmement.

PROLIFÉRATION DE L'ARME ATOMIQUE

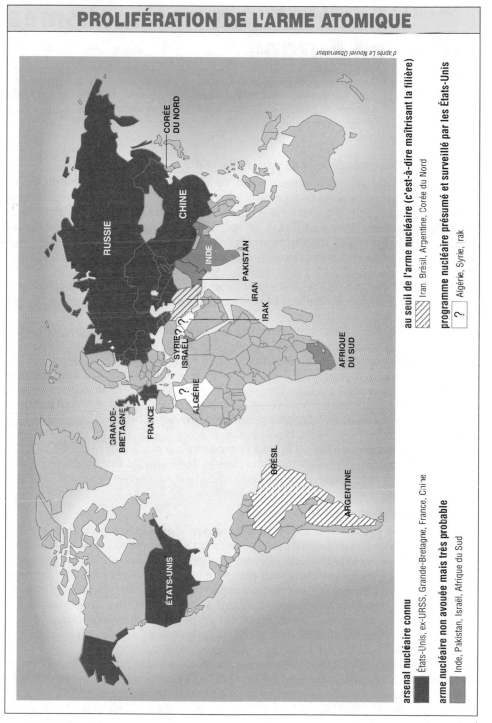

d'après *Le Nouvel Observateur*

au seuil de l'arme nucléaire (c'est-à-dire maîtrisant la filière)
Iran, Brésil, Argentine, Corée du Nord

programme nucléaire présumé et surveillé par les États-Unis
? Algérie, Syrie, Irak

arsenal nucléaire connu
États-Unis, ex-URSS, Grande-Bretagne, France, Chine

arme nucléaire non avouée mais très probable
Inde, Pakistan, Israël, Afrique du Sud

CORÉE DU NORD
CHINE
RUSSIE
INDE
PAKISTAN
IRAN
IRAK
SYRIE
ISRAËL
GRANDE-BRETAGNE
FRANCE
ALGÉRIE
AFRIQUE DU SUD
BRÉSIL
ARGENTINE
ÉTATS-UNIS

137

SOURCES
INSTITUTIONS
PERSONNES
DOMAINE PUBLIC
ÉCONOMIE
CONFLITS

Le réveil des nationalismes en Europe

> Le nationalisme est la doctrine se réclamant de la tradition et des aspirations exclusivement nationales. Depuis quelques années on assiste à un retour marqué des nations.

Les différentes formes de nationalismes

□ Ce réveil brutal du nationalisme s'exerce dans des conditions distinctes et répond à des aspirations plus ou moins affirmées. Quatre formes principales de nationalisme marquent le tournant de l'Europe des années quatre-vingt-dix.

□ Le développement dans les États d'Europe de l'Ouest de foyers de régionalisme s'appuyant sur une réalité linguistique ou géographique (exemples : les Basques et Catalans en Espagne ou les Corses en France) s'est révélé dans les années soixante-dix.

□ L'éclatement violent, souvent armé et mortel, des fédérations pluri-ethniques comme en Yougoslavie ou dans la Communauté des États indépendants (CEI) est encore plus récent.

□ Le renouveau d'une politique autonome vis-à-vis de Moscou , notamment dans les pays Baltes (Estonie, Lettonie et Lituanie) désormais membres à part entière de l'ONU, constitue un véritable bouleversement de l'échiquier est-européen.

□ Plus inquiétant encore est la résurgence d'une extrême-droite nationaliste et virulente qui, dans presque tous les pays d'Europe, se nourrit de la crise économique, des migrations transfrontières et de la supposée disparition du fait national dans un affaiblissement des peuples (exemples : en Autriche, en France ou en Belgique).

□ Toute la planète s'embrase ici et là et se trouve ainsi destabilisée par des forces contraires, opposées, la constitution d'unions et de groupes d'États partageant des intérêt communs et la dérive ethnique, nationaliste et exacerbée.

L'autre réalité des États-Nations

Ce qui surprend le plus dans le réveil nationaliste, c'est l'idée bien ancrée que les spécificités culturelles et linguistiques ne peuvent s'exprimer qu'avec violence, les armes à la main et de manière uniquement conflictuelle. C'est oublier un vécu souvent plus nuancé. Plusieurs États sont composés de nationalités parfois tranchées mais pas nécessairement opposées. La Grande-Bretagne n'a-t-elle pas ses minorités galloise et écossaise ? La France a, quant à elle, ses Bretons ou Alsaciens qui souhaitent, tout comme les Corses, dans leur grande majorité rester français sans pour autant être les fils spirituels de Paris. De même, les Catalans ou les Basques sont majoritairement fiers d'appartenir au royaume d'Espagne.

Le syndrome de la poudrière des Balkans serait-il de retour ? La communauté internationale doit y prendre garde car en Bavière, au Tyrol ou en Slovaquie, les rivalités ethniques grondent et le sentiment national est profond.

LES CONFLITS EN EUROPE

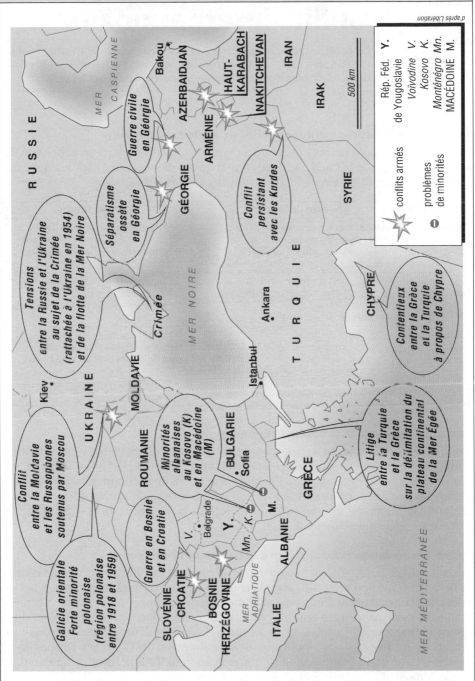

Légende :

Y. Rép. Féd. de Yougoslavie
V. Voïvodine
K. Kosovo
Mn. Monténégro
M. MACÉDOINE

★ conflits armés

❶ problèmes de minorités

500 km

Annotations de la carte :

Galicie orientale Forte minorité polonaise (région polonaise entre 1918 et 1959)

Conflit entre la Moldavie et les Russophones soutenus par Moscou

Tensions entre la Russie et l'Ukraine au sujet de la Crimée (rattachée à l'Ukraine en 1954) et de la flotte de la Mer Noire

Guerre civile en Géorgie

Séparatisme ossète en Géorgie

HAUT-KARABACH

Conflit persistant avec les Kurdes

Guerre en Bosnie et en Croatie

Minorités albanaises au Kosovo (K) et en Macédoine (M)

Litige entre la Turquie et la Grèce sur la délimitation du plateau continental de la Mer Égée

Contentieux entre la Grèce et la Turquie à propos de Chypre

Pays et lieux :

RUSSIE, UKRAINE, MOLDAVIE, ROUMANIE, BULGARIE, SLOVÉNIE, CROATIE, BOSNIE HERZÉGOVINE, ITALIE, ALBANIE, GRÈCE, Y., V., Mn., M., K., MACÉDOINE, GÉORGIE, ARMÉNIE, AZERBAIDJAN, NAKITCHEVAN, IRAN, IRAK, SYRIE, TURQUIE, CHYPRE

Kiev, Belgrade, Sofia, Ankara, Istanbul, Bakou, Crimée

MER CASPIENNE, MER NOIRE, MER ADRIATIQUE, MER MÉDITERRANÉE

SOURCES

INSTITUTIONS

PERSONNES

DOMAINE PUBLIC

ÉCONOMIE

CONFLITS

Le règlement pacifique des conflits internationaux

> Le droit international (chapitre VI, article 33 de la Charte de l'ONU) prévoit toute une série de solutions auxquelles les parties à un conflit international sont invitées à recourir.

▰▰▰ Les procédures institutionnelles de règlement pacifique

Prévues par la Charte onusienne, ces procédures s'exercent dans un cadre préalablement défini et par le biais d'organes impartiaux. Elles reposent sur le consentement des États en litige. On distingue trois procédures juridiques :

Procédures	Nature juridique	Effets juridiques
1. L'enquête	– détermination précise des faits – commission d'enquête mixte (nationaux des États en litige) – technique ancienne (début de siècle)	les parties en litige sont libres de décider de la suite à donner aux constatations de la commission
2. La conciliation	– commission d'experts (nombre impair) – exigence d'une convention bilatérale ou multilatérale – technique datant de 1920	– le rapport de la commission n'a pas un caractère obligatoire – le rapport peut proposer une solution
3. L'arbitrage	– règlement du litige – choix libre des arbitres, détermination du droit applicable, décision rapide – très utilisé pour les affaires à caractère technique – procédure développée au Moyen Âge	caractère obligatoire de la sentence arbitrale entre les parties qui doivent l'exécuter de bonne foi

▰▰▰ Le recours à la procédure diplomatique

Très ancienne et fréquente, la négociation directe entre États belligérants fait intervenir les diplomates et/ou les responsables politiques, le plus souvent les ministres des Affaires étrangères. Placé sous le sceau de la confidentialité, voire du secret, l'accord obtenu prend la forme d'un écrit dûment authentifié : soit une déclaration commune, soit un échange de lettres ou de notes ou bien un traité ou tout autre engagement solennel.

▰▰▰ Les techniques facultatives de règlement des litiges

Il existe enfin la possibilité de recourir aux techniques facultatives des bons offices ou de représentation spéciale (pour la reprise de pourparlers interrompus) et de médiation (intervention d'une personnalité afin de proposer une solution). Simple et souple, cette procédure fait intervenir des personnalités compétentes et dont l'autorité personnelle indiscutable emporte souvent l'adhésion des États en conflit. Ce fut le cas de la « politique des petits pas » du Dr Henry Kissinger au Proche-Orient et de la médiation du pape Jean-Paul II dans l'affaire du canal de Beagle opposant l'Argentine au Chili.

HENRY KISSINGER : LA DIPLOMATIE DE LA NAVETTE

■ L'homme

Né en Allemagne, le 27 mai 1923, il émigre aux États-Unis en 1938 avec ses parents, qui fuyaient, à cause de leur origine juive, le régime nazi.

Après des études supérieures brillantes, il est successivement professeur à l'université de Harvard, puis directeur du programme d'études sur la sécurité nationale américaine et membre du Bureau des affaires étrangères. Mais c'est en tant que conseiller du président Nixon, dès 1969 et jusqu'en 1976, et surtout comme secrétaire d'État – l'équivalent en France de ministre des Affaires étrangères – que sa réputation devient mondiale.

■ Théoricien et praticien des relations internationales

« Sa » politique internationale repose sur les principes directeurs suivants : l'équilibre des forces militaires dans le monde, le concept de légitimité admis par les acteurs du jeu diplomatique – c'est-à-dire la conviction des États en l'utilité-contrainte (la peur de la guerre) et surtout en la volonté-souhaitée (signature d'accords de limitation des armes nucléaires) de la paix.

■ Pragmatisme et diplomatie ouverte

Cependant, c'est surtout son action sur les terrains d'affrontements qui retient l'attention. Il donne sans compter de sa personne en multipliant des déplacements harassants à travers le monde. D'abord, il effectue des navettes (diplomatie de la navette ou *shuttle diplomacy*)

en vue de régler les litiges les plus pressants, mais également afin de faire connaître la politique extérieure des États-Unis et éviter ainsi tout malentendu né d'une interprétation erronée.

■ Navettes, petits pas et bons offices

Sa participation aux négociations relatives à deux conflits majeurs, la guerre du Viêt-nam et l'interminable conflit israélo-arabe, ont marqué, dans un contexte difficile de guerre froide, la politique extérieure de la Maison-Blanche. Ses intercessions, ses bons offices, sa participation personnelle aux négociations dans les pourparlers de paix ont abouti à des résultats très probants. Par exemple, il négocie avec Lê Duc Tho (représentant le Viêt-nam du Sud), le fameux accord de Paris « pour la cessation de la guerre et le rétablissement de la paix au Viêt-nam » (27 janvier 1973), pour lequel il obtiendra le prix Nobel de la paix. Ainsi, il n'hésite pas à commenter ses démarches, ses prises de position parfois fracassantes avec les grands médias internationaux et à convoquer fréquemment des conférences de presse hautes en couleur.

Au Moyen-Orient, il réussira, grâce à sa patience, à ses multiples allers-retours (on a alors parlé de « diplomatie des petits-pas », qui ont en fait grandement fait avancer la cause de la paix) entre les capitales arabes et Jérusalem et à un sens aigu du compromis acceptable, à aboutir en septembre 1975 à l'accord intérimaire entre Israël et l'Égypte.

Depuis son départ du pouvoir, Henry Kissinger a repris la plume et donne un peu partout dans le monde des conférences très écoutées sur la diplomatie.

SOURCES

INSTITUTIONS

PERSONNES

DOMAINE PUBLIC

ÉCONOMIE

CONFLITS

Force et légitime défense

La force a été le procédé de règlement des différends entre États. Les États ont cherché à en réglementer le recours, la légitime défense étant l'ultime option.

▄▄▄▄ Le principe de droit international : l'interdiction du recours à la force

Déjà le pacte de la Société des Nations restreignait le recours à la guerre, mais sans en prévoir les sanctions. Avant 1945, plusieurs accords internationaux visaient à exclure la force des relations internationales, parmi lesquels peuvent être cités :
– la convention Drago-Porter qui, en 1907, limitait l'emploi de la force pour le recouvrement de dettes contractuelles entre États ;
– le traité de Locarno de 1925 qui excluait la guerre entre la France, la Belgique et l'Allemagne ;
– et surtout le pacte Briand-Kellog — toujours en vigueur, bien que transgressé — qui en 1928 interdisait formellement le recours à la guerre.
La Charte de l'ONU interdit les recours à la guerre et à la force, mais prévoit, en revanche, la possibilité pour un État de faire usage de son droit de légitime défense.

▄▄▄▄ L'origine du droit de légitime défense

La notion de légitime défense (*self defence* et *self protection* en anglais) fut conçue en termes larges au XIXe siècle par les États-Unis à l'occasion de l'affaire de *la Caroline* en avril 1841. Il s'agissait d'un navire utilisé en territoire américain pour transporter des hommes et du matériel au profit de rebelles canadiens ; un détachement britannique — le Canada étant alors sous souveraineté anglaise — précipita *la Caroline* dans les chutes du Niagara. Le Secrétaire d' État américain Webster précisa le droit relatif à l'exercice de la légitime défense dans une note du 24 avril 1841. Il faut la réunion de trois éléments : l'urgence de la situation (aucun délai pour délibérer), l' absence d'alternative (d'où la nécessité d'intervenir) et la riposte proportionnée à l'attaque (ni déraisonnable, ni excessive).

▄▄▄▄ La Charte de l'ONU et la légitime défense

☐ L' article 51 de la Charte de l'ONU proclame le droit naturel de la légitime défense individuelle et collective et justifie ainsi les pactes d'assistance mutuelle, d'alliance et de défense collective comme l'article 5 du traité de l'Atlantique Nord (OTAN) du 4 avril 1949 ou l'article 2 de la Convention sur la défense commune et la coopération des États de la Ligue arabe du 13 avril 1950.
☐ Cependant, l' ONU n'autorise la légitime défense que « jusqu' à ce que le Conseil de sécurité ait pris les mesures nécessaires pour maintenir la paix et la sécurité internationales ». Enfin, l' État doit prouver l'agression qui seule justifie la légitime défense, notion que l'Assemblée générale de l'Organisation mondiale a défini, par consensus (résolution 3314-XXIX), après quarante-cinq années de discussions, le 14 décembre 1974.

LA DIPLOMATIE RÉSISTE MAL À LA FORCE

■ La problématique

La diplomatie, cette science qui a pour charge d'étudier les rapports internationaux, est au XXe siècle largement mise à mal par les faits. Les coups de force, les bruits de bottes de militaires se font entendre dans presque tous les continents.

L'idée initiale part d'une constatation simple : presque toutes les invasions réalisées au cours de ce siècle ont créé des situations nouvelles objectives (exemples ; rectification de frontières, déplacement de populations, etc.) et ont été suivies du retrait des agents diplomatiques (consulats et ambassades).

■ L'invasion de la Chine

Le 7 juillet 1937, les troupes japonaises envahissent la Chine. Pékin, l'actuelle capitale, est conquise en quelques mois. Pris de panique, les Occidentaux déplacent de Nankin à Tchon-King les bureaux de leurs ambassades.

En 1940, un gouvernement de collaboration chinois avec l'ennemi nippon, emmené par Wang Tsing-Wei et établi à Nankin, est reconnu par les puissances de l'Axe et par la France de Vichy. Cette dernière maintient alors une ambassade dans cette ville de la Chine centrale.

■ L'Anschluss

Hitler envahit l'Autriche le 12 mars 1938. Un mois plus tard, un référendum étroitement contrôlé par la Gestapo donne 99,7 % des voix en faveur de l'annexion. En 1939, les États composant la communauté internationale admettent la fusion Allemagne-Autriche. Les contours de la Deuxième Guerre mondiale se précisent. Conséquence internationale : les missions diplomatiques étrangères ferment et quittent Vienne.

■ La force dans les relations internationales actuelles

Depuis 1945, l'ONU a partout dénoncé les conquêtes par la force armée. Les coups d'État à répétition en Afrique (l'Ouganda, le Libéria, le Mozambique…) ou en Amérique du Sud (le Chili ou l'Argentine). Le plus souvent, les États ne reconnaissent pas les annexions militaires. Ainsi, l'invasion en 1975 du Timor oriental (indépendance proclamée le 7 décembre 1975) par l'armée indonésienne et qui fit des milliers de morts, n'a jamais été reconnue par les États de la communauté internationale. L'article 51 de la Charte de l'Organisation mondiale autorise l'audodéfense individuelle et collective ; c'est ce fondement que les États-Unis invoquent pour justifier les bombardements de l'Irak par la chasse américaine depuis la fin de la guerre du Golfe.

■ L'analyse

Il semble désormais établi que les acquisitions par la force soient fermement condamnées par les États civilisés. Toute conquête donne aussitôt lieu à des débats, des avertissements à l'encontre de l'État agresseur et l'élaboration de plans de paix (exemple : le plan de paix onusien de 1993 pour la Bosnie-Herzégovine qui prévoit son découpage en 10 provinces et un statut administré par l'ONU pour Sarajevo).

SOURCES

INSTITUTIONS

PERSONNES

DOMAINE PUBLIC

ÉCONOMIE

CONFLITS

Le droit de la guerre

Toujours présente dans les relations internationales, la guerre fait l'objet de règles internationales codifiées sur la coutume. Ces engagements sont nombreux et réglementent le recours à la force, monopole de l'État. Graduellement, la communauté internationale déclare illicite tout résultat obtenu par la force.

▄▄▄▄ La codification du droit de la guerre

☐ Au XIXe siècle, plusieurs textes codifient le droit de la guerre comme la déclaration de Paris de 1856 qui régit les conflits maritimes ou encore la déclaration de Saint-Pétersbourg de 1868 visant à humaniser la guerre terrestre.

☐ C'est au XXe siècle que la codification du droit de la guerre prend toute sa mesure.
– Ainsi, les conventions de La Haye (1899 et surtout 1907) ont permis l'humanisation de la guerre sur terre en interdisant l'utilisation des gaz.
– Le pacte Briand-Kellog du 27 août 1928 condamne le recours à la guerre « en tant qu'instrument de politique nationale ».
– La convention de 1954, négociée sous l'égide de l'UNESCO, assure la protection des biens culturels en cas de conflit armé.
– La convention du 10 avril 1972 interdit la fabrication, le stockage et l'utilisation des armes bactériologiques et chimiques. La France a ratifié cette convention en 1984.
– Le traité du 17 mai 1977 vise à interdire la guerre météorologique, c'est-à-dire d'utiliser l'environnement à des fins militaires.
– La signature en 1991 à Washington d'un traité de désarmement chimique entre les États-Unis et l'URSS a permis l'arrêt de la production et la réduction des stocks de 80 %.

▄▄▄▄ Des engagements internationaux pas toujours respectés

Les textes internationaux abondent. Leur portée très générale permet des interprétations divergentes et souvent le non-respect des accords passés. En effet, quelques États en guerre n'hésitent pas à se servir de l'arme chimique, à preuve le bombardement chimique (ypérite ou gaz moutarde) de villages kurdes (5 000 morts) par la chasse irakienne, le 17 mars 1988, durant la guerre Iran-Irak.

▄▄▄▄ Le recours à la guerre et l'ONU

☐ La Charte des Nations unies interdit — hormis le cas de la légitime défense — le recours à la guerre ou à l'emploi de la force dans les relations internationales. En cas de non-respect de ce principe, l'ONU dispose d'un arsenal de ripostes pour contraindre l'État ayant déclenché des hostilités à respecter le droit international.

☐ Elle peut recourir au blocus économique, suivi d'un embargo (sur les armes). L'ONU peut décider l'envoi de forces pour le maintien de la paix (les « casques bleus ») ayant soit une mission d'observation (exemple : au Cachemire en 1948), soit une mission d'interposition (exemple : la force d'urgence au Congo, l'Onuc, de 1960 à 1964).

☐ Elle autorise enfin le recours à la force armée à la suite d'une agression (exemple : résolution 678 du Conseil de sécurité du 29 novembre 1991 contre l'Irak).

L'AGRESSION

■ Position du problème

L'article 51 de la Charte de l'ONU reconnaît aux États le droit de légitime défense, mais il ne définit aucunement le concept d'agression. Après trente années de discussions, la résolution 3314 définit le terme d'agression. Mais, une résolution n'a pas de force juridique contraignante et n'oblige donc pas les États à s'y conformer.

■ La définition de l'agression

> ### Article premier
> L'agression est l'emploi de la force armée par un État contre la souveraineté, l'intégrité territoriale ou l'indépendance politique d'un autre État, ou de toute autre manière incompatible avec la Charte des Nations unies, ainsi qu'il ressort de la présente Définition.
> *Note explicative.* — Dans la présente Définition, le terme « État » :
> a) est employé sans préjuger la question de la reconnaissance ou le point de savoir si un État est membre de l'Organisation des Nations unies ;
> b) inclut, le cas échéant, le concept de « groupe d'États ».

■ Les modalités

L'agression implique trois éléments : l'emploi de la force armée, la violation des principes contenus dans la Charte de l'ONU et les premiers agissements d'un État (l'antériorité de l'action armée induisant une présomption d'agression). C'est alors au Conseil de sécurité d'intervenir comme arbitre, en vertu de l'article 39 de la Charte de l'ONU (« responsabilité principale du maintien de la paix dans le monde »). Il constate la réalité de l'agression (un ou des actes répréhensibles), puis il met en branle le dispositif de sécurité collective de la Charte, souvent paralysé par l'exercice du droit de veto d'un des 5 membres permanents du Conseil. De la création de l'ONU à avril 1993, ce droit a été utilisé 232 fois.

■ L'application du principe d'agression

Les États refusent le terme d'agression et avancent qu'ils ont eu recours à la légitime défense, admise par la Charte des Nations unies, pour légitimement se défendre. Trois cas illustrent cette position.

— Il y a d'abord l'affaire des Malouines. Il s'agit d'îlots situés à 500 km du territoire argentin et peuplés de quelques centaines de Britanniques. Les Malouines sont envahies par les troupes argentines en avril 1982. Londres s'estimant injustement agressée applique son droit de légitime défense pour « laver son honneur » et parvient à refouler l'ennemi au prix d'une guerre courte (73 jours).

— L'exemple d'Israël est plus classique. Cet État est né dans la guerre et reste en conflit avec les États arabes voisins hormis l'Égypte. Ces États limitrophes souhaitent sa disparition, aussi Jérusalem pense subir un état d'agression permanent et être, en conséquence, fondé en droit à riposter au nom d'une sorte de légitime défense tantôt préventive à l'agression supposée (exemple : la guerre des Six Jours en juin 1967), tantôt postérieure à l'agression (exemple : les tirs du Liban par les milices pro-syriennes du Hezbollah en juillet 1993).

— Un seul cas récent d'agression ne souffre d'aucune contestation et a été sanctionné en tant que tel par l'ONU : l'invasion du Koweït par l'Irak le 2 août 1990.

SOURCES
INSTITUTIONS
PERSONNES
DOMAINE PUBLIC
ÉCONOMIE
CONFLITS

Le droit humanitaire

Les guerres provoquent une série de déviations et d'atrocités. Premières victimes des conflits armés : les civils et prisonniers de guerre. Mais il faut permettre l'organisation des secours sur les champs de bataillle. Le droit international, après la Seconde Guerre mondiale, a pris en compte ces différents éléments.

Les conventions de Genève de 1949

Quatre conventions signées à Genève le 14 août 1949 consacrent un authentique droit humanitaire en temps de guerre. Face aux perfectionnements continus des armes et des stratégies militaires, ces conventions s'appliquent en toute circonstance, établissent un minimum de traitement humanitaire et reconnaissent les missions du Comité international de la Croix-Rouge (CICR).

Les domaines d'application des conventions de Genève

□ Les blessés et les malades sur terre et sur mer (conventions n^{os} I et II) doivent recevoir un traitement humanitaire et des renseignements sur eux doivent être fournis (leurs noms, leur nombre).
□ Le traitement des prisonniers de guerre (convention n° III) doit être conforme aux principes humanitaires d'intégrité physique et morale (exemple : ne pas subir de tortures ou de vexations).
□ La protection des personnes civiles (convention n° IV) interdit les déportations, l'internement dans des camps (exemple : le conflit yougoslave) et les déplacements forcés. Cette convention organise des zones de sécurité et la protection des hôpitaux civils, le libre passage des médicaments et la protection de l'enfance.
□ Le personnel et le matériel sanitaires doivent être identifiables (port d'un brassard, identité déclinable). Médecins et infirmiers peuvent être armés, mais uniquement pour assurer leur défense.

Les protocoles additionnels de Genève de 1977

□ Deux protocoles additionnels ont été signés le 12 décembre 1977. Ils visent à compléter les conventions de 1949 et à consacrer certaines revendications du tiers-monde (exemple : le statut des combattants).
□ Le protocole n°1 met l'accent sur les guerres de libération nationale en dotant les *guerrilleros* d'un statut de combattant. De même cet engagement renforce la protection des biens civils, l'environnement, les récoltes, les installations dangereuses (exemple : une centrale nucléaire). Enfin, il est interdit d'affamer la population, les droits de la famille sont garantis (informations, rapatriements des morts…) et les journalistes doivent pouvoir couvrir sans entraves les événements.
□ Le protocole n° 2 précise l'article 3 des conventions de 1949 en réitérant avec force le droit à la vie et la protection des enfants en temps de guerre.
□ Malgré ces textes fondamentaux, on remarque que plusieurs points n'ont pas été respectés, en 1993 en Yougoslavie (entraves au libre passage des médicaments, interdiction des déplacements de la population civile fuyant les combats…).

UN ENJEU POLITIQUE

■ Le contexte

Jusqu'au XIXe siècle, deux conceptions s'opposent concernant les droits des gens : le droit des États de contraindre, c'est-à-dire de recourir à la force (armée : blocus militaire — économique : embargo — alimentaire : affamer des populations pour obtenir leur reddition, etc.) et le droit à la protection, à l'intégrité physique des personnes.

En pratique, droit et politique sont, dans ce domaine de l'humanitaire, très proches, à tel point qu'ils sont difficilement dissociables, le premier terme prenant le pas sur le second.

■ Définition

> Au sens juridique de l'expression, le « droit humanitaire » est ambigu, ses contours sont mal définis. Que renferme-t-il ? La Charte de l'ONU est muette à ce sujet. Tout se passe comme si les événements récents, tels les guerres civiles, les coups d'État à répétition, la violation des droits de l'homme, avaient conduit à une définition pratique, pragmatique du droit humanitaire.
>
> Le droit humanitaire, et l'assistance aux personnes menacées ou victimes qu'il induit, peut se définir de la façon suivante : « C'est, en vertu des principes de la Charte des Nations unies, le devoir impératif d'intervenir de quelque manière que ce soit, y compris dans les affaires intérieures d'un État, dès lors que les droits fondamentaux de l'individu, tels qu'ils sont définis dans la Déclaration universelle des droits de l'homme et dans les textes de droit international postérieurs, sont ou peuvent être bafoués. »

■ L'évolution récente

L'humanitaire est une notion appliquée récemment par la société internationale. Sa mise en œuvre suppose un consensus très large des États près à intervenir et un fondement juridique sans faille. L'intervention humanitaire, dès 1991, en faveur des Kurdes d'Irak correspond à ses exigences. L'opération « Rendre l'espoir », fin 1992 et 1993, en Somalie, d'abord menée par les Marines américains puis par les Casques bleus de l'ONU, et l'action de la FORPRONU (Force de protection des Nations unies) déployée en Bosnie-Herzégovine, correspondent aussi à ces objectifs : assister, aider et protéger les populations en péril (persécutions en Irak, faim en Somalie ou déportations et viols en Bosnie).

■ Les limites du droit humanitaire

L'humanitaire si nécessaire se heurte souvent aux lenteurs, aux freins, aux velléités et aux revirements des États. Alors que partout dans le monde des peuples sont opprimés, tout se passe comme si un « choix » des États ou des peuples à assister devait être opéré. Comment venir en aide aux victimes de guerre comme au Libéria, comment secourir les Kurdes d'Iran, de Syrie ou de Turquie et comment éviter le massacre oublié des Soudanais du Sud ?

SOURCES

INSTITUTIONS

PERSONNES

DOMAINE PUBLIC

ÉCONOMIE

CONFLITS

L'ingérence humanitaire

> Les relations internationales sont fondées sur le principe de non-ingérence (art. 2, § 7 chapitre premier de la Charte des Nations unies), mais un devoir d'ingérence humanitaire semble parfois l'emporter.

La notion d'ingérence dans les affaires intérieures d'un État

L'immixtion dans la politique d'un État remonte au Moyen Âge. Plus récemment, la doctrine soviétique de L. Brejnev dite « de souveraineté limitée » permettait à l'Armée rouge d'intervenir dans un État frère (État-satellite) si celui-ci déviait du droit chemin idéologique fixé par le marxisme-léninisme. Cette doctrine a justifié, par exemple, le rétablissement de l'ordre en Tchécoslovaquie au cours du printemps de Prague de 1968.

L'assistance et le devoir humanitaires

□ L'ingérence dans les relations intérieures d'un État, invoquée au nom de principes humanitaires, est récente. En décembre 1989, le ministre des Affaires étrangères français, Roland Dumas, avait proposé une intervention d'urgence en Roumanie lors de l'insurrection brève et violente contre le régime de N. Ceaucescu.
□ Mais c'est en avril 1991 que ce nouveau principe de droit international prend toute sa mesure. Les faits sont simples. L'armée irakienne réprime avec force la rébellion kurde qui accepte de moins en moins la politique de fermeté de Bagdad. La répression est telle en Irak kurde que le Conseil de sécurité de l'ONU, dans sa résolution 688 du 5 avril 1991, défend la thèse de l'ingérence à titre humanitaire. Les États membres et les organisations caritatives doivent déployer leurs efforts d'aide et d'assistance humanitaires en créant des zones de sécurité pour les kurdes.
□ La même logique d'intérêt prévaut dans le conflit yougoslave, mais avec un succès moindre, la force onusienne étant entravée par les nombreux belligérants.

Le droit d'ingérence humanitaire et ses limites

□ D'abord, ce droit et ce devoir doivent se justifier, c'est-à-dire qu'ils s'appliquent uniquement lorsque « la menace à la paix et à la sécurité internationale » est démontrée, selon la Charte de l'ONU (articles 39 à 51, chapitre VII). L'Organisation des Nations unies est donc le seul organisme international habilité à déclencher ce type de procédure à l'exclusion de toute autre compétence.
□ Par ailleurs, la frontière entre le politique et l'humanitaire est souvent assez floue et fragile. Y avait-il, en 1991 et 1992, devoir d'ingérence humanitaire en faveur des Arméniens dans le Haut-Karabakh, province autonome située en République d'Azerbaïdjan et peuplée majoritairement d'Arméniens ?
□ Aussi, de cette logique interrogative découle une série d'autres questions plus larges : à quelle condition, en quels lieux, de quelle manière et sous quelle autorité sera-t-il décidé ou non l'envoi d'une aide et la création de zones réservées à l'humanitaire ?

L'INGÉRENCE HUMANITAIRE EN ACTION

Le droit humanitaire suppose l'accord des États de la communauté des nations, l'absence de veto d'un des 5 membres permanents du Conseil de sécurité de l'ONU, la mise de troupes à la disposition du commandement onusien et des contributions financières de la part des États ; ces opérations ont un coût très élevé.

■ Les opérations humanitaires dans le monde

■ Un drame absolu : la guerre civile au Libéria

L'origine de cette guerre fratricide remonte à décembre 1989. Le territoire est partagé en trois : 60 % au Front national patriotique du Libéria (NPLF), mouvement de Charles Taylor ; 25 % au Mouvement uni du Libéria (ULIMO) ; et 15 % occupé par la force d'interposition ouest-africaine, l'ECOMOG. Plus de 800 000 personnes, souffrant de la faim, ont été déplacées.

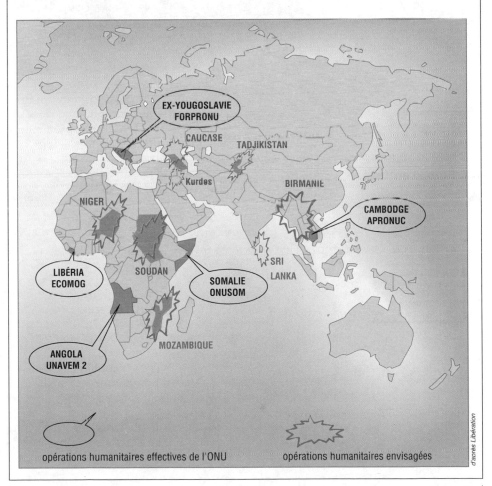

opérations humanitaires effectives de l'ONU   opérations humanitaires envisagées

d'après Libération

149

L'Europe en 1914

Océan
Atlantique

BEL.	BELGIQUE
L.	LUXEMBOURG
S.	SUISSE
Bel.	Belgrade
Sar.	Sarajevo

NORVÈGE

SUÈDE

Saint-Petersbourg

DANEMARK

EMPIRE

ROYAUME-UNI

PAYS-BAS

EMPIRE

RUSSE

Varsovie

Berlin

BEL.
L.

ALLEMAND

EMPIRE
• Vienne

FRANCE

S.

AUSTRO-HONGROIS

Bel.

ROUMANIE

Mer
Noire

ITALIE

Sar.•

SERBIE

BULGARIE

PORTUGAL

ESPAGNE

EMPIRE
OTTOMAN

GRÈCE

500 km

Mer Méditerranée

ALBANIE*

MONTÉNÉGRO

L'Europe en 1923

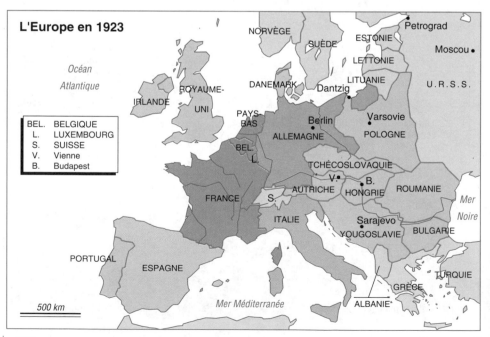

Océan
Atlantique

BEL.	BELGIQUE
L.	LUXEMBOURG
S.	SUISSE
V.	Vienne
B.	Budapest

NORVÈGE

SUÈDE

ESTONIE

Petrograd

Moscou •

LETTONIE

LITUANIE

U.R.S.S.

IRLANDE

ROYAUME-UNI

DANEMARK

Dantzig

PAYS-BAS

Berlin

Varsovie

BEL.
L.

ALLEMAGNE

POLOGNE

TCHÉCOSLOVAQUIE

V.•

B.

FRANCE

S.

AUTRICHE

HONGRIE

ROUMANIE

Mer
Noire

ITALIE

Sarajevo

YOUGOSLAVIE

BULGARIE

PORTUGAL

ESPAGNE

TURQUIE

GRÈCE

500 km

Mer Méditerranée

ALBANIE*

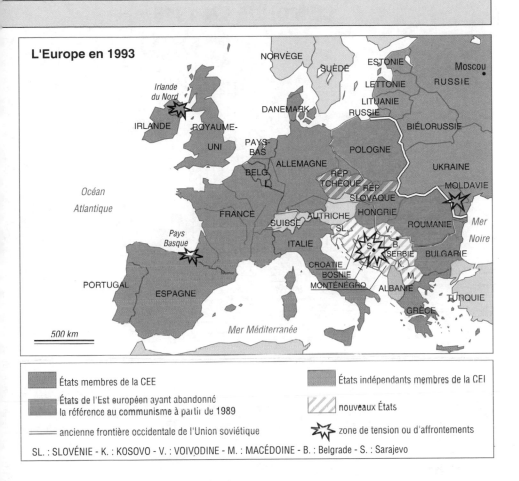

L'Europe en 1993

NORVÈGE
SUÈDE
ESTONIE
Moscou
LETTONIE
RUSSIE
Irlande
du Nord
LITUANIE
DANEMARK
RUSSIE
IRLANDE
ROYAUME-
BIÉLORUSSIE
UNI
PAYS-
BAS
POLOGNE
ALLEMAGNE
UKRAINE
BELG.
RÉP.
L.
TCHÈQUE
RÉP.
MOLDAVIE
Océan
SLOVAQUE
Atlantique
HONGRIE
FRANCE
AUTRICHE
Mer
SUISSE
SL.
V.
ROUMANIE
Pays
Basque
S.
B.
Noire
ITALIE
SERBIE
BULGARIE
CROATIE
K.
PORTUGAL
BOSNIE
M.
MONTÉNÉGRO
ALBANIE
TURQUIE
ESPAGNE
GRÈCE
500 km
Mer Méditerranée

███ États membres de la CEE		███ États indépendants membres de la CEI	
███ États de l'Est européen ayant abandonné la référence au communisme à partir de 1989		▨ nouveaux États	
═══ ancienne frontière occidentale de l'Union soviétique		✶ zone de tension ou d'affrontements	

SL. : SLOVÉNIE - K. : KOSOVO - V. : VOIVODINE - M. : MACÉDOINE - B. : Belgrade - S. : Sarajevo

Groenland

NORVÈG

SUÈD

ROYAUME-UNI

IRLANDE

FRANCE

ESP.

PORTUGAL

MAROC

RIO DE ORO

ALGÉRIE

A.O.F.

S.LEONE
LIBERIA
CÔTE DE L'OR

NIGERIA

ANGOL

SUD-OUES
AFRICA

CANADA

ÉTATS-UNIS

Océan

Atlantique

Bahamas
(R.-U.)

Guadeloupe (Fr.)
Martinique (Fr.)

MEXIQUE

Hawaï
(É.-U.)

Océan

Pacifique

Équateur

VENEZUELA

Guyane
française

COLOMBIE

ÉQUATEUR

Marquises (Fr.)

Tuamotu (Fr.)

Gambier (Fr.)

Tahiti (Fr.)

BRÉSIL

PÉROU

BOLIVIE

PARAGUAY

CHILI

URUGUAY

ARGENTINE

Falkland

Allemagne et Autriche occupées

Royaume-Uni et son empire colonial

Dominions britanniques

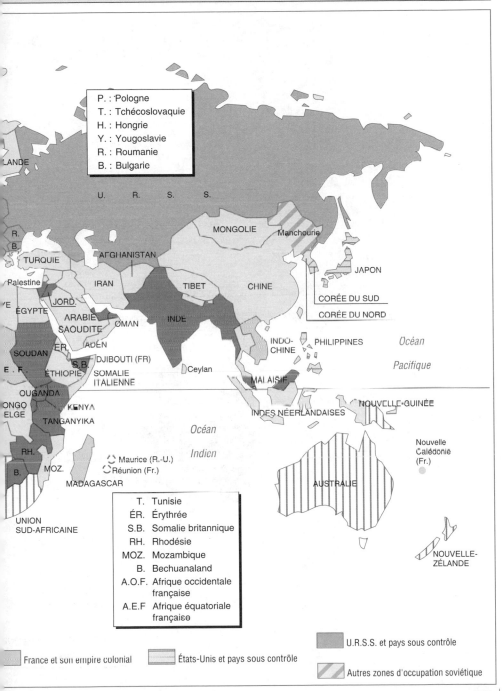

P. : Pologne
T. : Tchécoslovaquie
H. : Hongrie
Y. : Yougoslavie
R. : Roumanie
B. : Bulgarie

U.   R.   S.   S.

MONGOLIE   Manchourie

R.
B.
TURQUIE   AFGHANISTAN
Palestine   IRAN   TIBET   CHINE   JAPON
E   JORD.   CORÉE DU SUD
ÉGYPTE   ARABIE   OMAN   INDE   CORÉE DU NORD
          SAOUDITE
SOUDAN   ÉR.   ADEN   INDO-   PHILIPPINES   Océan
E . F.   S.B.   DJIBOUTI (FR)   CHINE
          ÉTHIOPIE   SOMALIE   Ceylan   Pacifique
OUGANDA   ITALIENNE   MALAISIE
ONGO   KENYA
ELGE   TANGANYIKA   INDES NÉERLANDAISES   NOUVELLE-GUINÉE

Océan

RH.   Maurice (R.-U.)   Indien   Nouvelle
B.   MOZ.   Réunion (Fr.)   Calédonie
          MADAGASCAR   AUSTRALIE   (Fr.)

T.   Tunisie
ÉR.   Érythrée
UNION   S.B.   Somalie britannique
SUD-AFRICAINE RH.   Rhodésie
               MOZ. Mozambique
                B.   Bechuanaland   NOUVELLE-
              A.O.F. Afrique occidentale   ZÉLANDE
                     française
              A.E.F Afrique équatoriale
                     française

U.R.S.S. et pays sous contrôle

France et son empire colonial   États-Unis et pays sous contrôle

Autres zones d'occupation soviétique

153

LES PHASES DE LA DÉCOLONISATION

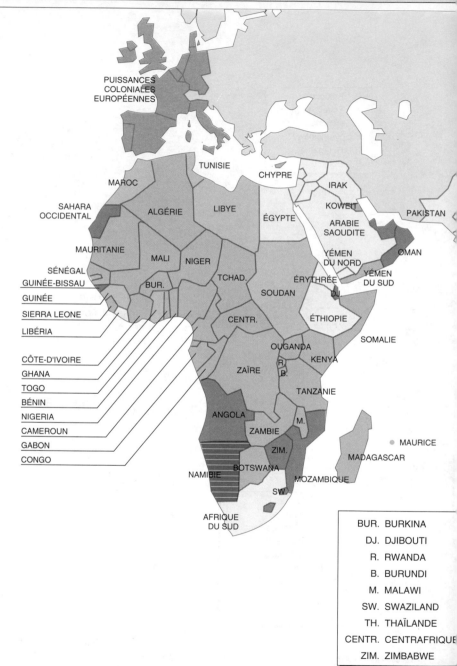

PUISSANCES COLONIALES EUROPÉENNES

TUNISIE
CHYPRE
MAROC
IRAK
SAHARA OCCIDENTAL
ALGÉRIE
LIBYE
ÉGYPTE
KOWEIT
PAKISTAN
ARABIE SAOUDITE
MAURITANIE
MALI
NIGER
YÉMEN DU NORD
OMAN
SÉNÉGAL
TCHAD.
ÉRYTHRÉE
YÉMEN DU SUD
GUINÉE-BISSAU
BUR.
SOUDAN
DJ.
GUINÉE
SIERRA LEONE
CENTR.
ÉTHIOPIE
LIBÉRIA
OUGANDA
SOMALIE
CÔTE-D'IVOIRE
ZAÏRE
R.
KENYA
GHANA
B.
TOGO
TANZANIE
BÉNIN
NIGERIA
ANGOLA
M.
CAMEROUN
ZAMBIE
MAURICE
GABON
ZIM.
CONGO
MADAGASCAR
NAMIBIE
BOTSWANA
MOZAMBIQUE
SW.
AFRIQUE DU SUD

BUR.	BURKINA
DJ.	DJIBOUTI
R.	RWANDA
B.	BURUNDI
M.	MALAWI
SW.	SWAZILAND
TH.	THAÏLANDE
CENTR.	CENTRAFRIQUE
ZIM.	ZIMBABWE

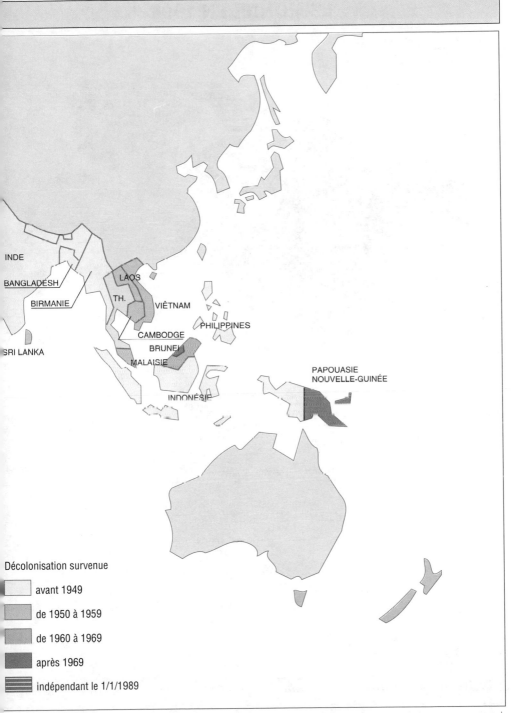

INDE

BANGLADESH

BIRMANIE

SRI LANKA

LAOS

TH.

VIÊTNAM

CAMBODGE

BRUNEI

MALAISIE

PHILIPPINES

INDONÉSIE

PAPOUASIE
NOUVELLE-GUINÉE

Décolonisation survenue

avant 1949

de 1950 à 1959

de 1960 à 1969

après 1969

indépendant le 1/1/1989

CANADA

ÉTATS-UNIS

CUBA

Océan

Atlantique

Océan

Pacifique

Canal
de Panama

ANGOL

États de l'Alliance Atlantique

États communistes

États communistes au 1/1/92
et qui ne le sont plus en 1993

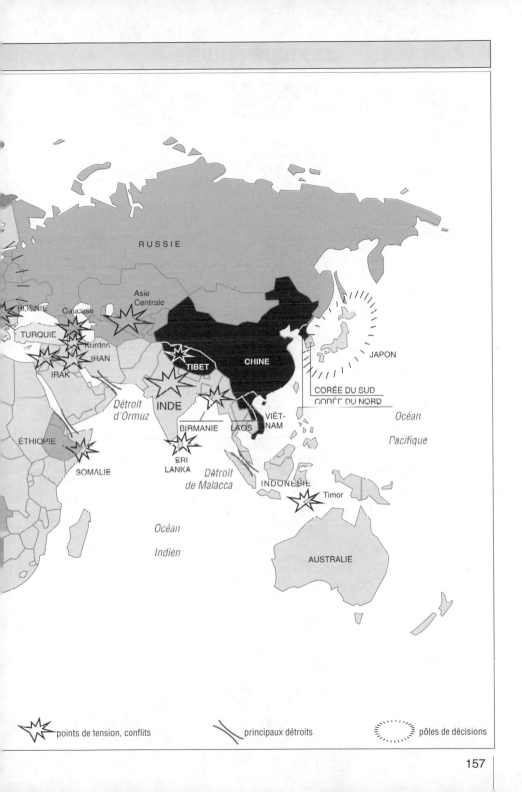

RUSSIE

Asie
Centrale

BOSNIE   Caucase

TURQUIE

Kurdes

IRAN

IRAK

TIBET   CHINE

JAPON

CORÉE DU SUD

CORÉE DU NORD

Détroit
d'Ormuz   INDE

VIÊT-
NAM

Océan

BIRMANIE   LAOS

Pacifique

ÉTHIOPIE

SRI
LANKA   Détroit
de Malacca

SOMALIE   INDONÉSIE

Océan   Timor

Indien   AUSTRALIE

points de tension, conflits   principaux détroits   pôles de décisions

LEXIQUE / INDEX

Édition : Agnès Fieux
Coordination artistique : Danielle Capellazzi
Maquette : Studio Primart
Cartographie : Gilles Alkan
Dessins : Nicolas Barral
Illustration de couverture : Pascal Pinet
N° d'Éditeur : 100 15 941 - 1 - (6) - OSB - 80 - Compo 2000 - Nov. 1993

Imprimerie Jean-Lamour, 54320 Maxéville